Sunland-Tujunga
7771 Foothill Blvd
Tujunga, CA 91042
S0-BDL-152

ВИКТОРИЯ ТОКАРЕВА

Виктория Токарева

Сволочей тоже жалко

АЗБУКА

Санкт-Петербург
2014

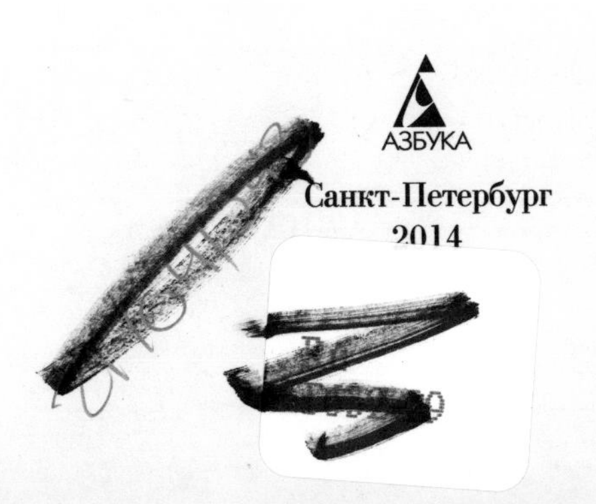

УДК 821.161.1-3Токарева
ББК 84(2Рос-Рус)6-44-я43
Т51

Токарева В.
Т51 Сволочей тоже жалко : Рассказы, повесть, киносценарий. — СПб. : Азбука, Азбука-Аттикус, 2014. — 240 с.
ISBN 978-5-389-07876-5

Совершенно родные и такие близкие по духу персонажи, ощущение полнейшей вовлеченности в описываемые события и судьбы, удивительный юмор, пронзительное сопереживание и превратности любви — новая книга Виктории Токаревой дарит счастье всем нам. В сборник вошли новые рассказы, повесть, а также малоизвестный читателям литературный сценарий «Вай нот?», написанный Викторией Токаревой для киностудии «Узбекфильм» и заново отредактированный автором специально для данного издания.

УДК 821.161.1-3Токарева
ББК 84(2Рос-Рус)6-44-я43

ISBN 978-5-389-07876-5

сволочей тоже жалко

Эта история произошла тридцать лет назад.

Мой муж обожал играть в преферанс и ходил с этой целью в генеральский дом. Недалеко от нас было выстроено «Царское село» — дома для высшего сословия. Генерала звали Касьян, а генеральшу Фаина. Фаина — действующий врач, работала в Кремлевской больнице.

Я иногда сопровождала мужа, сидела за его спиной.

Фаина восседала за столом — огромная, как сидячий бык. При этом у нее были локоны и бархатный голос.

Касьян — на десять лет моложе, красавец. Фаина отбила его у законной жены. Чем взяла? Возможно, романтическими локонами и воркующим голосом.

У меня к этому времени вышли фильм и книга. Я ходила в молодых и талантливых.

Жизнь улыбалась. Но вдруг ни с того ни с сего моя дочь перестала видеть правым глазом. Ее положили в больницу с диагнозом неврит, воспаление зрительного нерва.

Моей девочке было десять лет, мы никогда до этого не расставались, и эта первая разлука явилась трагедией. Она плакала в больничной палате, а я у себя дома, на улице и в гостях.

Фаина увидела мой минор и вызвалась помочь.

На другой день мы вместе отправились в Морозовскую больницу. Глазное отделение находилось на пятом этаже, без лифта. Фаина шла, вздымая свои сто килограммов, и недовольно бурчала. Смысл ее бурчания был таков: зачем она пошла, зачем ей это надо, вечно она во что-то влезает себе во вред.

Я плелась следом и чувствовала себя виноватой.

Наконец мы поднялись на нужный этаж.

— Стойте и ждите, — приказала Фаина.

Она достала из объемной сумки белый халат, надела его и скрылась за дверью глазного отделения.

Я стояла и ждала. Время остановилось. Было не совсем понятно, зачем я ее привела. В отделении хорошие врачи. Они любили мою девочку, готовы были сделать все необходимое. Зачем эта начальница? Напугать? Но в семидесятые годы медицина была добросовестной, в отличие от сегодняшней. Напугать — значит выразить недоверие. Некрасиво. Однако цена вопроса была слишком высока: глаз. Я ждала.

Появилась Фаина. Подошла близко. Устремила на меня пронзительный взор. Буквально впилась взглядом.

— Соберитесь, — сказала она. — Выслушайте разумно. У вашей дочери опухоль мозга. Эта опухоль передавливает нерв, поэтому он не проводит зрение.

— И что теперь? — тупо спросила я.

— Операция. Надо делать трепанацию черепа и удалять опухоль.

Я понимала: она говорит что-то страшное, но до меня не доходил смысл сказанного. Я не могла совместить эти слова с моей девочкой.

— И что потом? — спросила я.

— Молите бога, чтобы она умерла. Если выживет, останется идиоткой.

Фаина замолчала. Стояла и изучала мое лицо. Мое лицо ничего не выражало. Меня как будто выключили из розетки.

— Я вам что-то должна? — спросила я.

— Ничего, — великодушно ответила Фаина. — Но поскольку я потратила на вас время, сопроводите меня в ателье. На такси. Я должна забрать норковый берет и норковый шарф.

— Хорошо, — отозвалась я.

Мы спустились вниз. Я остановила такси, и Фаина загрузила в него весь свой живой вес.

У меня вдруг упали из рук часы и щелкнули об асфальт. Почему они оказались у меня в руке? Видимо, я их сняла. Наверное, я не отдавала отчета в своих действиях.

Я сидела возле шофера и не понимала: зачем Фаина заставила меня ехать с ней в ателье? Сообщить матери о том, что ее ребенок безнадежен, — значит воткнуть нож в ее сердце. А потом потребовать, чтобы я с ножом в сердце повезла ее в ателье... Стоимость такси — рубль. Неужели у генеральши нет рубля, чтобы доехать самой?

Мы остановились возле ателье. Фаина выбралась из машины постепенно: сначала две сиськи, потом зад, обширный, как у ямщика, а на локоны она наденет норковый берет.

Я осталась в машине, сказала шоферу:

— Обратно в больницу.

Я вернулась в глазное отделение, вызвала врача.

— У моей дочки опухоль мозга? — прямо спросила я.

— С чего вы взяли? — удивился врач. — У нее обычный неврит.

— А как вы отличаете неврит от опухоли?

— По цвету. Когда неврит, нерв красный, а когда опухоль, нерв синий.
— А у моей дочки какой цвет?
— Красный. Мы будем колоть ей нужный препарат, воспаление уйдет, зрение восстановится.
— А можно сделать рентген?
— Можно. Только зачем?
— Удостовериться, что опухоли нет.
— Если хотите…

Я не ушла до тех пор, пока врач не вынес мне рентгеновский снимок и я не убедилась воочию, что снимок чист, прекрасен и даже красив, благословенны дела твои, Господи…

Я вернулась домой без ножа в груди. Рассказала мужу. Он слушал, не прекращая смотреть по телевизору новости. Я спросила:
— Зачем она это сделала?
— Сволочь, — коротко ответил муж.

Я набрала телефон Фаины и сказала ей:
— Вы ошиблись. У моей дочери нет никакой опухоли. Обыкновенный неврит.
— Ну и пожалуйста, — ответила Фаина, как будто обиделась.

Я потом долго пыталась понять: что это было? Может быть, зависть? Но она живет лучше меня. У нее муж генерал с генеральской зарплатой и норковый берет с норковым шарфом. А у меня обычная вязаная шапка. Но скорее всего — просто сволочь, как сказал муж. Есть же такое слово — «сволочь», значит, должны быть и люди, этому слову соответствующие.

Прошло десять лет. Моя дочь выросла, набралась красоты, одинаково видела обоими глазами. Запуталась в женихах.

В один прекрасный день мы с мужем поехали на базар. В овощном ряду я углядела Фаину. С тех давних пор я с ней не общалась, хотя слышала, что недавно ее муж умер в гараже возле машины, а сын выпал из окна. Наркотики.

Фаина увидела меня и кинулась мне на грудь как близкая родственница.

Я стояла, скованная ее объятьями, и мне ничего не оставалось, как положить руки на ее спину. Спина тряслась в рыданиях. Под моими ладонями выступали ее лопатки, как крылья. Фаина не просто похудела, а высохла. Куда делись ее килограммы? Локоны превратились в старушечий пучок на затылке. Что делает с человеком горе…

Мой муж показывал мне глазами: надо идти, чего ты застряла? Но я не могла оттолкнуть Фаину вместе с ее рыданиями. Я стояла и терпела. И не просто терпела — сочувствовала. Гладила ее по спине, по плечам и крыльям.

Сволочи — тоже люди. Их тоже жалко.

странности любви

В молодости мы дружили: я и Лялька.

У Ляльки был парень Руслан. Они встречались уже семь лет, но Руслан не делал предложения. Его что-то останавливало. Я догадывалась, что именно.

Руслан — из профессорской семьи, интеллектуал, очкарик, писал стихи, заведовал отделом в молодежном журнале.

Лялька — все наоборот. Ее родители перебрались в Москву из глухой деревни. Папаша пил, мать работала швеей-мотористкой. Лялька едва окончила десять классов, книг не читала, учиться не хотела. Смотрела по телевизору мультики.

Что в ней привлекало? Молодость (двадцать пять лет) и совершенство форм. У нее была идеальная фигура. Ничего лишнего. Лялька замечательно двигалась. Смешливая, все ей было смешно. А когда танцевала — было на что посмотреть.

Если кто-то танцевал рядом с Лялькой, в ресторане, например, то выглядел как кувалда.

Я любила Ляльку за то, что с ней было легко и весело. Мы постоянно хохотали, без причины. Но не потому, что дуры, а так совпадали. Я видела Ляльку и сразу начинала радоваться жизни.

Лялька в этот период была занята тем, что «дожимала» Руслана. Она его любила, а он — тянул резину. Лялькина мать возмущалась: «Плюнь! Я бы на его ссала в тридцать три вилюльки».

Что такое вилюлька, я не знаю, но тоже говорила Ляльке:

— Женятся или сразу, или никогда.

Все кончилось тем, что Лялька нашла себе другого. Этот другой сделал предложение через два дня после знакомства. Он имел какое-то отношение к балету — то ли танцевал, то ли преподавал. Было понятно, почему он повелся на Лялькину хрупкость и грацию. Он привык видеть красивое женское тело.

Кстати, личико у Ляльки было тоже очень милое: голубоглазая, курносая. Когда смеялась, набегали веселые морщинки-лучики.

Меня позвали на свадьбу. Я помню блюдо жареной форели. Отец жениха заведовал где-то форелевым хозяйством.

На свадьбе Лялька напилась и разрыдалась. Я видела, что она рыдает по Руслану. Любовь к нему горела в ней адским пламенем, и эта свадьба — не что иное, как месть.

Я испугалась: жених и гости догадаются, что свадьба — фальшивка. Но, слава богу, все обошлось. Решили, что невеста плачет от счастья, от переполнения чувств.

Лялька уплыла в другие воды. И Руслан вдруг понял: он потерял главное. Лялька — это лучшее, что было в его жизни. То, что его останавливало, а именно — ее примитивность, оказалось самым уместным. Как примитивизм в картинах Пиросмани.

Дни Руслана были переполнены рифмами, умными разговорами, и, вернувшись после работы домой, хотелось разрядки. Хотелось не думать и не рассуждать. И вот тут — Лялька, как таблетка от усталости.

А в постели его рука соскальзывала на тончайшую талию, не говоря об остальном. После Лялькиного тела все другие тела — табуретки, заплывшие салом.

Руслан погрузился в депрессию. Его ничего не радовало, глаза смотрели как со дна водоема. Не выражали ничего. Стали посещать мысли о самоубийстве.

Прежде чем убить себя, он решился и позвонил Ляльке. Она согласилась встретиться. Пришла к нему в редакцию.

Он увидел ее и зарыдал. И Лялька зарыдала. Они обнялись и замерли, не могли вымолвить ни одного слова.

В кабинет заглядывали сотрудники, но тут же уходили и деликатно закрывали за собой дверь.

Лялька развелась и ушла к Руслану. Руслан женился. Ура!

Квартира у них была крошечная, но двухкомнатная и своя.

Спальня, она же кабинет, и главная комната с телевизором, обеденным столом для гостей.

Детей не завели. Лялька в юности занималась греблей и застудила себе все, что могла. Руслан — книжный человек, ему детей не хотелось. Он сам был ребенком у Ляльки. Она его кормила, обихаживала. О детях не задумывалась. Да и какой смысл? Думай не думай, все равно не будет. Бог не дал. А Богу виднее.

Молодость прогрохотала как повозка по булыжной мостовой. Наступил средний возраст, а за ним — пожилой.

Лялька изменилась мало, только морщинки обсыпали лицо.

Руслан тоже почти не изменился. Поседел, а так все то же самое. А может быть, мне так казалось. Когда видишь человека часто — перемены незаметны.

И вдруг я узнаю, что у Ляльки — инсульт. Она парализована и в больнице. Караул...

Я позвонила Руслану. Он был собран, разговаривал конструктивно.

— Выписывают во вторник, — сказал он. — Я не знаю, что делать.

— В каком смысле? — не поняла я.

— Куда ее теперь?

— К вам домой.

— А куда я ее положу? В кабинет? Тогда я не смогу работать.

— Это почему же?

— Тело. Писи-каки. Я поэт, а не санитарка.

— Положи в большую комнату.

— Тогда никто не сможет прийти.

Я молчала. Потом сказала:

— Поэтом можешь ты не быть, а человеком быть обязан.

— У меня нет сил. И нет здоровья. Я старый.

— Найми сиделку.

— Знаешь, сколько стоит сиделка? Пятьдесят тысяч рублей. А у меня пенсия пятнадцать.

— А твои книги?

— Стихи никому не нужны. Пушкина не покупают.

Я молчала.

— Слушай, а у государства есть казенные дома? — спросил Руслан.

— Есть, — сказала я. — Для хроников... Типа «палаты № 6». Она там быстро помрет.

— А ты не думаешь, что это касается нас всех в ближайшем будущем?

— Не думаю, — ответила я и положила трубку.

Мне стало грустно. Все-таки Руслан — скотина. Все-таки позади общая жизнь. Как можно так поступать с близким человеком?

Парализованное тело — не праздник. Но оно когда-то так радовало... Он так его любил... Существует долг в конце концов. И человек должен его исполнить.

Когда корабль тонет, капитан тонет вместе с кораблем.

Во вторник — выписка. Руслан пришел к десяти часам утра.

Вышел врач и сказал, что больная умерла.

Стояло аномально жаркое лето. Лялька лежала в палате у окна, и солнечные лучи ее буквально расстреливали в лицо. Случился еще один приступ. Скорее всего, дело не в солнце, а в сосудах головного мозга, но сейчас это уже не имело значения. Ляльки нет. Нет ее парализованного тела. Уйдя из жизни, Лялька сделала Руслану подарок. Спасибо, Лялька.

Друзья помогли похоронить. Поминки поглотили все сбережения Руслана, но прошли достойно. Соседи приготовили несколько горячих блюд и холодные закуски.

Были даже деликатесы: красная икра, красная рыба. Спиртное — без ограничения. Много осталось.

Руслан доедал и допивал поминальный стол целую неделю. Ему было не в чем себя упрекнуть.

В моем доме раздался телефонный звонок. Звонили из полиции.

В каком-то сквере нашли человека. У него — полная амнезия: он не помнил, кто он и откуда.

В кармане обнаружили записную книжку, а там мой телефон. Не могу ли я приехать на опознание?

Я опознала: это был Руслан. Я объяснила, кто он и где он живет.

Совместными усилиями мы разыскали племянника. Племянник временно поселился у Руслана, чтобы поставить его на рельсы.

Руслан на рельсы встал. Он все вспомнил, но жить не хотел. Сидел в кресле как свежемороженый окунь с головой. Такие же слюдяные глаза.

Руслан не мог жить без Ляльки. Он ждал, когда закончится жизнь и паромщик в черном плаще перевезет его на пароме через реку Лету.

А на том берегу его будет ждать Лялька. Они обнимутся и зарыдают. И не расстанутся больше никогда. НИКОГДА.

люська из баковки

Баковка — это деревня, которая примыкала к нашему дачному поселку. Настоящая деревня с бревенчатыми домами, почерневшими от времени, запущенной речкой, резными ставнями, палисадниками, огородами, гусями, пьющими мужиками и крикливыми бабами.

После перестройки эти крикливые бабы стали называться «фермеры». Они носили по нашему поселку свою продукцию: молоко, творог, яйца, овощи.

Я быстро определила, у кого можно брать, а у кого нельзя. Срабатывал «человеческий фактор». Жилистая Ольга скупала творог во всей округе, он у нее скисал, протухал, потом она сверху опрокидывала граммов двести свежего творога и разносила по домам. Люди пробовали сверху — не полезешь же пальцем вглубь — и покупали с энтузиазмом весь объем. Заносили в кухню, вываливали в миску. То, что было внизу, становилось верхом, вонючим и опасным для жизни.

Что можно сказать? Недальновидная Ольга не знала законов рынка. Второй раз у нее никто не покупал. И даже если она приносила хорошую сметану, свежие яйца, ее гнали прямо с порога, высказывали свое отношение открытым текстом. Ольга не учитывала такой важнейший фактор, как конкуренция. Ею правил закон суслика: схватить — и в норку. Однако в дачном поселке — хоть и интеллигенты, но не дураки. Один раз их можно провести, но не больше.

Появлялась толстая Ирка, громыхая железной повозкой. В эту повозку она складывала все сезонные овощи. Продукты были неплохие, но цена на ноль больше. Если килограмм картошки стоил на базаре десять рублей, то у Ирки — сто.

— А ты бери по тысяче, — предлагала я.

Ирка подозрительно всматривалась в мое лицо.

— А что, — простодушно продолжала я, — если у человека есть деньги, какая ему разница, сколько заплатить: сто или тысячу? Не обеднеет.

Ирка догадывалась, что я ее поддеваю, и говорила:

— Ну ладно. Давай по пятьдесят за килограмм.

— На базаре десять, — напоминала я.

— На базар ехать надо. А я тебе прямо к дому, с доставкой.

Я соглашалась. Доставка стоит денег.

В нашем поселке жил очень красивый парень — высокий, стройный, с золотыми волосами. Как трубадур из мультфильма.

Девки и молодые бабы из Баковки приходили на него посмотреть. Приносили клубнику и черную смородину. И, пока он рассчитывался, не отводили глаз. А потом уходили, грезили наяву. За спиной красавца маячила его жена, но ее в расчет не брали.

Девкам из Баковки не на что было рассчитывать, и все равно... Мечтать ведь никто не запрещает.

По стране гуляли лихие девяностые. Их грозный отзвук докатывался и до нашего поселка.

Трубадур продал свой дом вместе с тещей. Дом принадлежал теще, но предложили хорошую цену, Трубадур не устоял. Теще сняли комнату в Баковке, а в дом, в родовое гнездо, въехали чужие люди.

Рухнул социализм, вместе с ним человеческая мораль. Моралью стали деньги. Видимо, сумму, которую предложили Трубадуру, он не мог упустить. И ждать тоже не мог. Покупатель бы уплыл.

А я? Что я могла сделать? Подойти к Трубадуру и спросить: «Как тебе не стыдно?» Он бы ответил: «А ваше какое дело?»

И в самом деле.

Тещу могла защитить только ее дочь. Но дочь взяла сторону мужа. Она рассуждала так же, как и он: «Не убивают же ее. Переселяют в деревню, в деревянный дом, экологически чистый, рядом с поселком, десять минут ходьбы».

Во второй половине дома жила некая Люська. Люська держала кур и корову. Вот тебе качественное питание, вот тебе здоровье и долголетие.

Люська приходила ко мне раз в неделю, по средам. Приносила свою продукцию. Ее продукция была самая свежая, а цена соответствовала качеству.

Люська не воровала и не хитрованила, ничего не выгадывала. Немножко громко разговаривала, но ведь это можно и потерпеть.

— А я правду всегда говорю!.. — орала Люська.

И она выкладывала очередную правду, которая никому не была нужна. И самой Люське в том числе.

Говорили, что Люська в молодости была привлекательная. Сейчас это невозможно себе представить: фиолетовые щеки, во рту один зуб.

У Люськи был папаша — алкоголик, он рано умер, оставив Люське в наследство свое тяжелое заболевание.

К двадцати шести годам Люська уже спилась. Ее в деревне никто не видел трезвой.

Где-то на базаре она познакомилась с Володькой, тоже алкоголиком. Сколько ему было лет — непонятно, не то тридцать, не то пятьдесят.

Люська и Володька каждый вечер собирались и пили вместе. Это ведь веселее, чем в одиночку. Володька был добрый, музыкальный, хорошо пел под гармонь. Действительно хорошо. При этом у него были длинные ресницы, красивые сильные пальцы.

«Олень беспутный, горький мой, мне слезы жгут глаза, как ветер. Не смейтесь, люди, надо мной, что я иду за парнем этим».

Эти стихи Люська сочинила сама, вот до чего дошло. Ее душа была, как парус, наполненный попутным морским ветром, и под этим парусом, на этой лодке любви Люська оказалась беременной. Молодой организм ловил сперматозоиды на лету.

Люська в первый раз сделала аборт, но через два месяца залетела опять. Тогда она поняла: это природа настаивает. Бог говорит: «Люська, не отказывайся, бери, пока дают».

Люська решила рожать. А это не простое решение. Это значило: надо завязать. Не пить, а то ребенок дураком родится.

Володька неожиданно поддержал Люську и тоже решил не пить, записать ребенка на свою фамилию. Да что там… Жениться на Люське и создать нормальную семью, как у людей.

Первым делом они купили кровать. Раньше у них был только матрас на полу. Кровать — совсем другое дело.

К кровати приобрели простыни, одеяло, подушки. Перед сном мылись, одевали пижамы. То, что для людей было обычным и привычным, у Люськи с Володькой — целое событие, сказка Венского леса.

Алкоголизм не отступал. Сказать, что им хотелось выпить, — значило не сказать ничего. Им СТРАСТНО хотелось выпить. Организм стонал и корячился. Люська сжимала кулаки так, что ногти впивались в ладони. Оба погружались в тяжелейшую депрессию и тонули в ней. А спасение было так близко: стакан, и всё. И снова мир зажжется красками.

Все внутри горело и звало. Приходили даже мысли о самоубийстве. Легче не чувствовать ничего, чем такие испытания, такое жжение, такую тоску... Но их было двое. И они поддерживали друг друга. А если точнее, их было трое. И этот третий, беспомощный, от них зависимый, именно этот третий в середине тела был главным, главнокомандующим. Он приказывал: нет. И было нет.

Через положенный срок родилась здоровая полноценная девочка, рост пятьдесят два сантиметра, вес три с половиной килограмма. Все как надо. Назвали Людмилой, как мать. Володька любил Люську и хотел как можно чаще произносить это имя. Пусть дом будет наполнен этим именем в разных вариациях: Люся, Людмила, Мила...

Володька устроился водопроводчиком в доме отдыха. Он это умел, был специально обучен в ПТУ. К тому же надо зарабатывать. Семья из трех человек.

Володьки целыми днями не было дома, Люська на ребенке днем и ночью, некогда головы причесать. Прошлая жизнь казалась раем: свобода, никакой ответственности и бутылка в центре стола, — холодная, запотевшая, переливающаяся голубым и перламутровым, только что из холодильника. Первый глоток орошал нутро, как дождь пересохшую землю. Грибной дождь, солнце и влага. Плюс Володька, его горячие ладошки и губы, прохладные от страсти.

А сейчас только маленькая Милочка, ее крохотное личико, ее ор и нищета.

Володька старался как мог. Бегал по вызовам в наш поселок. Но богатые трудно расстаются с деньгами: чем богаче, тем жадней. При этом лезут в душу, норовят подружиться. А зачем? Чтобы не платить. С друзей ведь много не возьмешь...

Прежние дружки сбивали Володьку с пути, но он держался. Иногда ему казалось, что он висит над пропастью, держится на одних руках. Руки приняли всю тяжесть тела, и плечевые суставы не выдержат, выскочат из своих гнезд. Легче разжать пальцы и лететь в пропасть. Но Володька держался из последних сил. Он — не один. За ним — две Людмилы, он их не предаст.

Володька возвращался домой. Лез под душ. Смотрел телевизор.

А потом они ложились спать, обнявшись. Люська отдавалась мужу, несмотря на усталость: бери меня, мне самой ничего не надо, все — твое.

Милочка хорошела день ото дня. Первый расцвет случился в три месяца: из сморщенной почки она превратилась в гладкого младенчика. В полгода научилась смеяться. А в год — сама красота. Так что — не зря жертва. Не зря телесные и душевные мучения. Все оплачено с лихвой. Дочка. Смысл жизни. Выполнение главного замысла природы.

В чем главный замысел? Размножение. Значит, Люська и Володька живут не зря и недаром. Оставят после себя часть себя.

Неизвестно: есть ли рай и ад после жизни? А в самой жизни есть. Ад — это запой. Рай — это улыбка твоего ребенка.

Я все реже стала бывать в Москве. Все чаще оставалась на даче.

У меня был свой маленький «уголок Дурова»: кошка, собака, ворона и белочка Эмма.

Белочка приходила два раза в неделю, я насыпала ей орехи фундук. Она садилась на задние лапки, а передними подносила орех к мордочке. Ее щечки торопливо двигались.

Эмма тщательно следила глазами за собакой и за кошкой и, чуть что, — взлетала вверх по стволу елки.

Ворона воровала сухой корм из собачьей миски. Хозяин корма Фома устремлялся к своей миске с целью жестоко проучить ворону. Но она тут же взлетала на вершину дерева, и подскочивший Фома не мог понять: каким образом ворона оказалась наверху, когда только что была на земле? Как это у нее получается?

Он возмущенно лаял, задрав голову. Если его лай перевести на человеческий язык, это звучало бы так: «Ты еще жрать захочешь, ты еще вернешься...»

Однажды мне позвонила подруга и попросила принять ее родственника. Родственник явился не запылился. Внешность — среднестатистическая. Лицо умное. Костюм кримпленовый. Кримплен — это немнущаяся синтетика. Его можно стирать и не гладить, а просто повесить на плечики. Похоже, что костюм на родственнике никто не стирал никогда. От него пахло чем-то лежалым, душным. Видимо, микробы давно жили там семьями и вели упорядоченный образ жизни: питались, выделяли отходы, размножались.

Я догадалась, что родственника никто не обслуживает. Может быть, не женат, старый холостяк или вдовец, мало ли...

После перестройки появились мужчины-метросексуалы, которые ухаживают за собой как женщины: делают маникюр-педикюр, стригутся в дорогих салонах. Почему бы и нет... Родственник не относился к метросексуалам, но ничего страшного. Посидит и уйдет. Не останется же он навсегда.

Я предложила ему чай. Он охотно согласился.

— У меня вот какая проблема, — начал родственник. — Я хочу купить дачу. У вас в поселке продаются дачи?
— Редко, но продаются, — сказала я.
— Почем? Хотя бы примерно…
— Примерно, миллион…
— Рублей?
— Долларов.
— Долларов? — У родственника глаза стали как колеса. — У меня столько нет. Я рассчитываю максимум на десять тысяч долларов.
— А вы купите избу в соседней деревне, — предложила я. — Вам как раз хватит.
— Вы считаете?
— А что? Небо то же самое, воздух тот же, что в нашем поселке. Рядом лес, речка.
— А контингент?
— А что вам контингент? В нашем поселке все сидят за трехметровыми заборами. Вы их и не увидите никогда.
— Да? — раздумчиво спросил родственник. — Действительно, зачем переплачивать? А посмотреть можно?

Мы отправились в Баковку.

— Я хочу перевезти сюда жену, — поведал родственник. — Она не ходит, у нее ноги отказали. Возраст.
— А сколько ей лет?
— Восемьдесят.
— А вам? — удивилась я.
— Мне шестьдесят.

Мне захотелось удивиться, задать вопрос, но вопрос был бы некорректный. Я сдержалась.

Мысль — материальна, родственник прочитал мой вопрос.

— Я женился на своей мачехе, — сказал он.

— Это как?

— Мой отец, профессор, бросил мою мать и женился на своей аспирантке. Я в нее влюбился.

— Шекспир, — сказала я. — Трагедия. Неужели вокруг вас не было девочек-ровесниц?

— Были, конечно. Но я их не видел.

— И как вы живете?

— Как волки.

— То есть... — не поняла я.

— Сексуальная активность раз в год, а все остальное время мы любим друг друга всей душой.

— И сейчас?

— Ничего не меняется. Старости нет. Есть только болезни. У Нэли болят суставы. Артроз.

— Сейчас суставы меняют.

— Она не хочет. Сердце может не выдержать наркоз. И я тоже боюсь. Пусть лучше сидит в коляске на свежем воздухе. Дышит. А я буду приезжать к ней на выходные. Я ведь работаю.

— А откуда вы знаете про волков? — поинтересовалась я.

— Читал. Вы не представляете себе: какое это нравственное сообщество — волчья стая. И что творится, когда в стае погибает ее член. Вот уж действительно Шекспир: какой вой, какие горькие рыдания, вплоть до разрыва сердца.

В конце улицы показалась Люська.

— Век! — заорала она. — Яйца надо?

— Давай.

Люська помчалась за яйцами в свой дом.

— Что значит «век»? — спросил родственник.

— Это значит Вика. Это я.

Люська вынесла яйца в миске.

— Свежие, — доложила она. — А Катька Звонарева продает магазинные. В палатке покупает, за свои выдает. Я ей так в лицо и говорю: «Катька, а совесть есть?» А она мне: «Зато у меня дешевле». Фармазонка, бля...

— Ты не знаешь, тут кто-нибудь продает избу?

— Катька и продает.

— За сколько?

— Просит десятку. Отдаст за семь.

— А ты откуда знаешь?

— Я Катьку знаю. Катька — гнилая. А дом у нее хороший, сухой. Я за правду, Век. Если дом хороший — так и скажу.

— А почему она продает? — спросил родственник.

— Так отсюда же никуда не доберешься. До автобуса пять километров. Здесь без машины никак. Как в Америке.

— А вы откуда знаете про Америку? — удивился родственник.

— А кто это? — спросила Люська, указывая пальцем на родственника. — Твой любовник?

— Дом хочу купить, — уточнил родственник.

— Мои десять процентов, — нашлась Люська.

— Договорились, — легко согласился родственник.

Если Люська сторгует за семь, то три еще останется. Так что хватит всем.

Все, что было дальше, происходило без меня.

Дом продали, родственник привез Нэлю на своих «жигулях». Люську наняли прислугой. Она должна была приходить три раза в неделю, готовить Нэле еду, плюс убираться, плюс мыть посуду. Оставляла на Нэлю свою дочку Милочку. Ей было уже пять лет к тому времени. Нэля учила ее правильно сидеть за столом, правильно есть. Читала детские книжки, выметала из ее речи матерные слова.

Время шло. Много происходило хорошего и плохого.

Я сломала ногу, понадобилась небольшая операция. Кость должны были скрепить пластинкой и привинтить эту пластинку шурупами. Ни пластинок, ни медицинских шурупов в стране не производили. Такие были времена. Все старое развалили, а нового не создали. Шурупы были только слесарные, собирать мебель, например. А слесарные не годились. Они — грубо сработаны, с заусеницами. Кость от заусениц пятилась. Кость, оказывается, тоже живая. Пришлось ехать в Швейцарию, поскольку нога — очень важная часть тела.

Меня не было на даче почти два месяца. Люська скучала и караулила, поскольку я была ее постоянным покупателем. Бизнес страдал в мое отсутствие.

Но вот я вернулась, и бизнес воспрянул. Мне требовались молочные продукты. Кальций.

— Век!.. — заорала Люська, входя в мой дом. — А у нас в Баковке бабы базарят: «Вот, в Швейцарии операцию делала… Ишь какая…» А я говорю: «Были возможности — и поехала. А у вас вот нет возможностей и сидите на жопе у себя на кухне. И ничего не видели, и ничего слаще морковки не ели». Я за правду, Век… Я так им прямо в лицо и сказала. Завидуют, бля…

— А чему? — спросила я. — Сломанной ноге?

— Респекту. Швейцария — не Баковка.

— А тебе не кажется, что сидеть в Баковке со здоровой ногой лучше, чем в Швейцарии со сломанной?

Люська подумала. Потом тяжело вздохнула и сказала:

— Я тебе буду яйца дороже приносить...

Я не стала спрашивать: почему? И так понятно — нужны деньги.

— Как там Нэля? — спросила я.

— Сохнет, — ответила Люська. — Как балерина. Чистой души человек.

— А ее муж ездит?

— Обязательно. Цветы привозит. Денег нет, а он на розы тратит. А они на третий день вянут, воняют, как он сам.

— Ты ему костюм постирай, — заметила я.

— Он не соглашается. Стесняется, что ли... А может, не во что переодеться. Не знаю...

— Володьке привет, — сказала я.

Люська поджала губы, ничего не ответила. Привета не приняла.

К плохим новостям относилось и то, что Володька запил. Сорвался. Пропил все — мебель, телевизор, кровать и даже пол в прихожей. Сорвал доски и продал. «Олень беспутный, горький мой, мне слезы жгут глаза, как ветер...»

Люська заплакала.

Я молчала. Что тут скажешь...

Плохие новости перекинулись из деревни в наш поселок.

В нашем поселке живет много богатых и бедных. Знаменитости и вдовы знаменитостей. Богатые проживают стационарно, поскольку в поселке все удобства: газ, свет, вода и телефон.

Бедные — сдают. Аренда здесь дорогая, поэтому снимают состоятельные люди, новые русские, или, как говорят французы, «нувориши», — недавно разбогатевшие.

Рядом с моим домом снимает некий Владик. По вечерам у него грохочет музыка, слышен смех. Весело. Поговаривают, что он держит рынок.

Я иногда вижу этого Владика. Элегантный, как принц Чарльз, но плюет в землю.

Я заметила, что работяги, которые строят здесь каждое лето, тоже плюют в землю. А интеллигенция — не плюет. Какова причина?

Может быть, скапливается слюна с похмелья. А может быть — это жест самоутверждения: плевал я на все. Непонятно. Хочется спросить, но я стесняюсь. Вопрос некорректный. Да и какая разница?

Владик договорился с Катькой-фармазонкой насчет молока, и она привозила ему трехлитровую банку по четвергам.

В очередной четверг Катька вошла в калитку и увидела два трупа: Владика и его шофера. Оба лежали лицом в землю в позе бегуна.

Милиция установила, что киллер перелез через забор и ждал Владика на участке. Владик приехал поздно, в три часа ночи. Вылез из машины. Киллер выстрелил ему в спину.

Молодой шофер бросился бежать и почти добежал до калитки, но пуля догнала его. Он упал прямо перед калиткой. Об него и споткнулась Катька. Она замерла на мгновение, потом выронила банку с молоком и выскочила на дорогу. Бросилась бежать к конторе, где сидел комендант.

Катька мчалась изо всех сил и возможностей, ее груди (десятый размер) мешали движению.

Позже я спросила у Люськи:

— А в чем причина? Почему Владика убили?

— Не поделился, — коротко ответила Люська.

— Чем? Деньгами?

— А чем же еще? — удивилась Люська. — Конечно, деньгами.

— И что, за это убивать? Неужели деньги важнее жизни?

— Его, наверное, предупредили, — предположила Люська. — Он знал на что идет.

— Он думал, что пронесет. Не посмеют.

— Листьева не побоялись убить, а Владик кто? Кому он нужен?

— Своей матери, — сказала я.
— И всё. Делов-то…

Я заметила: Люська ожесточилась за последнее время. Она выгнала Володьку из дома. Он спал в слесарной мастерской. По вечерам собирал в парке бутылки.

Криминальные девяностые накрыли страну. Человеческая жизнь не стоила ничего. Смерть собирала свой урожай.

Жилистая Ольга ходила по поселку с черным лицом. У нее в Москве убили сына.

Кто? За что? Узнать было невозможно. Обрублены все концы. С Ольгой никто не хотел разговаривать. Куда бы ни обращалась, ее не слушали. Смотрели сквозь, будто она не человек, а привидение.

Ольга сунулась к самой большой знаменитости поселка. Он составлял нашу гордость, этакий козырный туз в колоде. Он впустил Ольгу в дом, выслушал с подобающим лицом.

Ольга попросила Туза выйти по своим каналам на самого главного генерала. Пусть генерал все выяснит и накажет виновных или хотя бы — объяснит.

Козырный Туз посочувствовал, покивал, пообещал, но никуда звонить не стал. Он мог обратиться к самому главному один раз в жизни. Такой этикет. И вот этот один раз он хотел оставить для себя. Сохранить для себя такую возможность. Мало ли что может случиться в жизни...

Кончилось ничем. Ольга ничего не узнала. Я смутно догадывалась: в Москве был введен комендантский час. Его скоро отменили, через несколько дней. Но в эти несколько дней по Москве гулял беспредел, Варфоломеевская ночь, свобода для бандитов и ментов. Выплескивались низменные инстинкты плюс вседозволенность. И вот тут уж действительно невозможно восстановить: кто, за что и зачем?

Ни за что и ни зачем. Так.

У родственника моей подруги, мужа Нэли, случилось прободение язвы. Он долго не вызывал «скорую», надеялся, пройдет. Но не проходило. «Скорая помощь» отвезла его в первую попавшуюся больницу, там его оперировал первый попавшийся дежурный врач, и родственник благополучно умер на рассвете, как положено.

Нэля осталась одна.

Как она приняла это известие — я не знаю, но догадываюсь. Нэля была на двадцать лет старше мужа и должна была умереть первой. А что получилось? Она осталась одна, беспомощная, неподвижная, и даже лекарства привезти некому.

Люська утешала в своем духе. Она сказала:

— Нэля, но ведь когда-то это должно было случиться.

— Много позже, — не соглашалась Нэля. — Хотя бы через десять лет.

— Десять лет туда, десять лет сюда, мелочи это…

— А я? Я совсем одна.

— Ну и что? И я одна.

— Какое несчастье… — Нэля закрывала лицо руками.

— А кто сказал, что человек должен быть обязательно счастлив? Вам вон как повезло. Жопой в масло попали. Вас всю жизнь любили, то один, то другой… Попользовались — и хватит…

Через неделю приехал племянник со своей девушкой и с нотариусом. Следовало переписать на него дом.

Нотариус разложил документы и поставил галочку, где подписать.

— А лекарства вы привезли? — спросила Нэля.

— Ой, мы забыли, — смутилась девушка.

— Про нотариуса не забыли, — заметила Люська.

— Но ведь Нэле девятый десяток, — напомнил племянник. — Умрет — и ни дарственной, ни завещания. Кому дом?

«Мне», — подумала Люська, но вслух не озвучила.

Далее все покатилось своим чередом. Нэля сидела без лекарств и без денег, грустная и тихая.

Люська забегала к ней каждый день, приносила еду. Что называется, делилась последним куском. Нэля ела мало, но не есть совсем она не могла.

Племянник должен был привозить пенсию, у него была доверенность, но эта скромная пенсия оседала в карманах племянника.

Люська договорилась насчет машины, погрузила туда Нэлю, и они поехали в Москву, в сберкассу. Переписали доверенность на Люську, заполнили нужные бумаги. Пенсию стала забирать Люська, раз в месяц. Скромная пенсия плюс натуральное Люськино хозяйство — вполне можно жить.

Володька кормил себя сам: собирал бутылки, сдавал металлолом плюс зарплата электрика…

Володька похудел, выглядел вне возраста — молодой старик, видно, что человек опустился. Никаких интересов, кроме одного.

Люська имела в поселке своих постоянных клиентов и каждому норовила сказать правду в лицо. На нее не обижались, учитывая ее уровень и социальное положение.

Вот если бы, скажем, министр культуры пришел лично на дом и выразил свое неудовольствие... Или Хиллари Клинтон приехала в Россию, завернула в наш поселок и объявила, что мусорные баки воняют. Тогда было бы неприятно. А Люська, что Люська...

— Век, — она простирала ко мне руки, — правда, Век... Я за ней хожу, как за ребенком. Почему бы ей не отписать мне дом.

— У тебя есть дом, — напоминала я.

— И что? Я один дом продам, деньги выручу. А денег много не бывает. Век, я правду скажу: от меня хоть какая-то польза, от племянника никакой. Сволочь, и больше никто. А что, нет? Ты скажи Нэле, пусть она мне дом отпишет.

— Скажи сама. Я с ней не знакома.

Я отказалась от посреднической миссии, но в глубине души была согласна с Люськой.

От Люськи — реальная польза: каждодневный уход, душевное тепло. А от родственников — только потребительство и хамство. И больше ничего.

Люська-маленькая выросла. Ей было уже семнадцать лет.

Нэля жила себе, хотя и передвигалась на коляске. Ей было уже под девяносто, но голова ясная.

Я часто думала, в чем причина долголетия? Во-первых, гены. Во-вторых, характер. Нэля была совершенно беззлобная и независтливая. В ней не было никакого говна, как говорила Люська. Ей нравилась ее жизнь. Всегда, во все периоды. И сейчас тоже нравилась: природа, воздух, экология, Люська-большая и Люська-маленькая.

Нэля любила повторять: «Старость — это время свобод».

Люська-маленькая тоже любила Нэлю. За доброжелательность. Нэле все нравилось, а Люське-большой все не нравилось. Все сволочи и фармазоны, все жадные, за копейку зайца догонят и пернут.

Нэля не считала жадность недостатком. Она объясняла жадность как инстинкт самосохранения. Деньги — защита. И, конечно, жадность — от бедности.

В России после перестройки стало очень много бедных.

— Нэль, а как это получилось, что твой моложе на двадцать лет, а умер первый? — простодушно вопрошала Люська.

— Я от него этого не ожидала, — скорбно отвечала Нэля. — Как он мог?

— Чего? — не понимала Люська.

— Бросить меня одну на произвол судьбы.

— Так он же не нарочно. Он не хотел.

— Еще бы не хватало, чтобы хотел.

Нэля обижалась на мужа, поскольку доверяла ему безгранично. Он всегда был ее каменной стеной, и вдруг стена рухнула, и Нэля оказалась на холоде, на семи ветрах. Хорошо еще, что образовалась Люська с ее дурной правдой и золотой душой. Хорошо, что Нэля осталась не в городе, закованная в камнях, а в деревне с огородами и клумбами, на которых цвели пафосные георгины, торжественные стойкие цветы. Они стояли у Нэли на столе, и, просыпаясь по утрам, она здоровалась с ними.

Дни текли, похожие один на другой.

Когда мало впечатлений, время идет быстрее. Мне нравился этот спокойный, равномерный ход времени. Я не хотела потрясений, которые приносит любовь, потому что любовь очень часто превращается в мусорные баки, от которых воняет.

Люська приходила раз в неделю. В четверг. Но однажды пришла в понедельник, с пустыми руками и встревоженным лицом.

— Век, дай пятьсот рублей. Вовке на гроб.

Я онемела. Но что тут скажешь…

— Жалко Вовку, — произнесла я самое простое, что можно было сказать.

— Конечно, жалко, — согласилась Люська.

— Переживаешь?

— Тяжело…

Ушел олень беспутный. Грохнулся посреди жизни.

— Дашь? — еще раз проверила Люська.

— Ну конечно. Только приходи завтра, у меня сейчас нет русских денег.

Я получала тогда в долларах, и с рублями была проблема: ехать в обменный пункт, менять, возвращаться. Но куда деваться? В то время как-то все незаметно перешли на доллары. Рубль — валюта неуважаемая. Его прозвали «деревянный».

— А когда прийти? — уточнила Люська.

— Завтра в это же время.

— Ой, спасибо, я приду.

— Как там Нэля? — поинтересовалась я.

— В карты играет с соседскими бабами. В подкидного дурака.

— Понятно.

— Что понятно? — насторожилась Люська.

— Игра для дураков.

— Ты книжки пишешь, а корову подоить не можешь. А у меня хозяйство. Я все держу одна, а ты за собой тарелку помыть не можешь.

— Могу, — возразила я.

— Твои книжки можно читать, а можно не читать. А молочные продукты нужны каждый день.

— Это правда, — согласилась я.

— А пятьсот рублей дашь? — проверила Люська.

— Дам. Приходи завтра в это же время.

На другое утро я пошла на прогулку. У меня был привычный маршрут, вдоль речки и обратно. Прогулка на сорок минут, вдохнуть небо и речку, зарядиться от космоса.

От санатория мне навстречу двигался мужичок, похожий на гнома. На нем была вязаная шапка колпаком с оттянутой макушкой. Он шел, сгорбившись, нес на спине большой мешок с пустыми бутылками.

Поравнявшись со мной, гном повернул ко мне лицо. Это был Володька. Я не поверила своим глазам. Я собиралась давать деньги ему на гроб, а он — вот он, собственной персоной.

— Здрассьте, — поздоровался гном.

— Привет, — ответила я, продолжая изучать его глазами.

— Поэтесса? — уточнил гном.

— Вроде того, — согласилась я.

Володька слышал звон, но не знал, где он. Ему какая разница — проза, поэзия.

— А вы Володя? — прямо спросила я.

— Ну… — согласился он. — Не узнали?

Я повернулась и пошла, слегка недоумевая. Ну и Люська… Ради денег, причем маленьких денег… Ничего святого.

На другой день Люська явилась не запылилась. Смотрела на голубом глазу.

— А я видела твоего Володьку, — сообщила я. — Бутылки собирал.

— Как? — удивилась Люська и вытаращила глаза в притворном недоумении.

— Очень просто. Целый мешок набрал.

Люська помолчала, потом спросила:

— А пятьсот рублей дашь?

— Дам.

— А тысячу?

Я открыла кошелек. Все купюры были исключительно по тысяче рублей. Не буду же я рвать тысячную бумажку пополам.

— Дам, — сказала я. Протянула деньги.

Люська никак не ожидала такого поворота событий. Она опасалась, что не получит ничего, а тут целое состояние.

Люська грохнулась на колени и уткнулась головой в пол. Как мусульманин на молитве.

— Чаю хочешь? — спросила я.

Люська поднялась, постояла несколько секунд, приличествующих моменту, потом села за стол.

О Володьке мы больше не говорили. О чем говорить? И так все ясно. Помощи от него никакой. Живой он или мертвый — для Люськи «без разницы», как говорят в деревне. Для Володьки, конечно, большая разница: живой он или мертвый.

— Какие новости? — спросила я.

— Дочка замуж выходит.

— За кого?

— За таджика.

— А где вы его взяли?

— У нас вся деревня в таджиках и в наркоте. Гастарбайтеры.

— И ваш наркоман? — испугалась я.

— Наш нет. Он продает, а сам не употребляет.

— А жилье у него есть?

— Нет. У нас жить будет.

— Тебе это надо?

— А что делать? Люська беременная. Куда пойдет с ребенком?

Помолчали.

— Ничего, он заработает. Купит себе квартиру.

— Ты знаешь, сколько стоит квартира? — спросила я.

— Ну...

— Ему на эту квартиру надо будет работать всю жизнь. Лет двадцать.

Люська молчала.

— Почему так получается, — продолжала я, — деньги идут к деньгам, а нищета липнет к нищете? Вот и Люська твоя будет плодить нищету.

— Не пророчествуй, — строго сказала Люська.

Я поразилась: какое точное слово она нашла. Видимо, общение со мной шло ей на пользу.

Мне стало неловко. Действительно, ситуацию уже не переиграть. Надо поддержать человека, а не каркать. Кому нужна моя дурная правда? Видимо, я заразилась от Люськи. Мы взаимно влияли друг на друга.

— Ребенок красивый будет, — успокоила я. — Смешанные браки полезны для потомства.

Люська не поддержала эту тему. Видимо, ей самой этот таджик не нравился.

— Какие у тебя планы? — спросила я.

— Заменить в доме окна. Старые выбросить, поставить пластиковые, а то дует...

— Сколько окон?

— Восемь.

— Дорого, — посочувствовала я.

— Так это ж мечта. Я могу мечтать на любую сумму.

— Ну да... — согласилась я.

— А у тебя какая мечта? — спросила Люська.

— Хочу дом на Кипре.

— А сколько он стоит?

— Пять нулей.

— В рублях?

— В долларах.

— А если в рублях?

— Тогда шесть нулей.

— Ну, это я не понимаю... Спасибо тебе за тыщу. Все-таки три нуля.

Люська собралась уходить. Я проводила ее за калитку, смотрела, как она удаляется по дороге. Модная юбка полоскалась вокруг ее ног, кто-то подарил из богатых клиентов.

Чем отличаются люди друг от друга? Количеством нулей и качеством мечты. И еще: соотношением добра и зла в душе.

Моя мечта — написать новую книгу. Мечта Хиллари Клинтон — стать президентом США. А у Люськи — вставить пластиковые окна. Она вставит окна, и у нее не будет сквозняков.

Три нуля... Пять нулей... Девять нулей...

А в остальном... Как писал поэт, «знатная леди и Джуди О'Грэди во всем остальном равны». Все люди — люди. Каждый человек — человек.

Начался дождь. Хлынул как из ведра. Я пошла в дом, не ускоряя шаг. Я люблю ходить под дождем.

лишняя правда

Февраль — последний месяц зимы. Месяц короткий. Природа как бы выпроваживает зиму, как задержавшегося гостя. Но зима — стоит. Белый снег под серым небом. Хочется на Мальдивы, где всегда солнце и пальмы.

Я выхожу на крыльцо своего дома. Сосны, березы, снега.

В центре белизны, на середине моего участка, на моем личном пространстве — вывернутая из пакетов помойка. Я подхожу ближе, вглядываюсь. Пустые пластиковые бутылки, картофельные очистки, селедочная требуха, использованные презервативы. Продукты жизнедеятельности таджиков.

Я легко догадываюсь: это безобразие принес мой пес Фома с соседней стройки. Таджики оставляют свой мусор в пакетах, а Фома приносит их на мой участок. Вываливает на землю и спокойно выбирает: что можно съесть. Не исключено, что он угощает и меня, дескать: бери, не стесняйся.

От злобы у меня вскипают мозги. Мне хочется заорать на Фому и даже пнуть его ногой. Я кручу глазами, выискивая Фому. Фома залез в будку и выглядывает оттуда со сконфуженным видом. Он не понимает: чем я недовольна?

Я на секунду задумываюсь. Надо орать сразу, как он явился. Вот Фома занес мусор — тут же заорать, чтобы он связал эти два события: мусор и ор. А так... по прошествии времени он не сможет понять: чего это хозяйка разоряется в середине дня. Он принес пакеты накануне вечером, с тех пор прошла ночь, и раннее утро, и позднее утро.

К тому же Фома, с его точки зрения, ничего плохого не сделал. Это добыча. Он сам кое-что скушал и хозяйке оставил. Чем тут можно быть недовольной?

Я поймала взгляд Фомы и показала ему кулак. Орать не стала. Чего кричать без толку. Надо надеть резиновые перчатки, все собрать в мешок для мусора и вызвать машину — мусорку. Я так и сделала. Напоследок показала Фоме кулак. Он не понял. Предположил, что в кулаке кусочек колбаски, замахал хвостом.

Я вернулась в дом. Домработница Нинка готовила грибной суп для моей семьи. Грибы я купила накануне в дорогом магазине. Белые грибы, замороженные целиком: шляпки на ножках. Темно-коричневые замшевые шляпки на бежевых ножках. Совершенство формы и содержания. Красота, хоть рисуй.

Грибы разморозили, потом кинули в кипящую воду, чтобы сварились. Затем Нинка достала грибы из кипятка, выложила на деревянную доску.

Следовало их порезать соломкой и пережарить с лучком.

Далее я увидела следующее: Нинка отсекла у всех грибов шляпки и с ловкостью жонглера кинула их себе в рот. А порезала и пережарила с лучком только ножки. Решила: хозяева не заметят. Решила: хозяева обойдутся, им и так хорошо. А еще решила: от многого немножко — не кража, а дележка.

Я оторопела от Нинкиной наглости. Наглость — это такое поведение, когда человек предпочитает свои интересы интересам окружающих.

Я хотела тут же поставить Нинку на место, но притормозила. Последует неприятный диалог, настроение испортится. Нинка пустит слезу. Я окажусь виновницей ее слез. Начнется выяснение отношений. Дальше надо будет расставаться, искать другую домработницу, а какая будет другая — поди знай. К этой я уже привыкла.

Черт с ним, с супом, поедят без шляпок. Все равно грибной дух останется.

Я ничего не сказала. Ушла на прогулку. За мной последовал Фома с одной целью: раскрутить всех соседских собак. Он подбегал к воротам и что-то говорил по-собачьи, они в ответ взрывались скандалом. Видимо, Фома им говорил: моя хозяйка самая лучшая, а ваш хозяин — говно.

Фома перебегал от одних ворот к другим. Я шла в гимне собачьего лая и думала: «Как в гетто»...

Пришел март. Первая неделя. Я вышла на крыльцо по обыкновению. Небо синее, как в Сочи. Солнце — молодое, как девушка в начале жизни. Фома счастлив, ему не о чем беспокоиться. Я ведь на него не орала и не пинала в бок.

Нинка чистит дорожку от снега. Физическая нагрузка на свежем воздухе. Щеки у нее раскраснелись, глаза — голубые, как небо. Скоро у нее отпуск, и она поедет домой, повезет подарки и деньги. А потом вернется ко мне. Я — это ее разросшаяся семья. Часть ее жизни. А почему? Потому что мы не выясняли отношения, не говорили друг другу лишнюю правду. Слово не воробей. Вылетит — не поймаешь. А если слово не сказано, его — нет. Воздух чист. Весна.

выстрел

Собирались справлять золотую свадьбу, но отложили до лучших времен.

Главная причина — бедность. После перестройки стали нищими. Сначала Павловская реформа, потом шоковая терапия Гайдара — и в результате все накопления превратились в труху. Кто-то, конечно, разбогател, но стариков это не касалось. Их кинули как последних лохов. Мало того что старики, так еще и лохи. Хорошо, что дочь взяла на крыло. Не дала упасть и разбиться.

Однако просить у детей невыносимо. Природа нацелена только вперед. Дети поддерживают своих детей, срабатывает инстинкт: сохранение поколения. А на стариков этот инстинкт не распространяется. Старики никому не нужны, поскольку от них никакого толка. Просто доживают, и все, каждый в своем безобразии.

Они, конечно, пытаются передать свой опыт, но кому он нужен, чужой опыт?

У молодых должны быть свои ошибки и свои синяки.

Семидесятилетние Анна Николаевна и Виктор Петрович сдали свою квартиренку и переехали на дачу.

Дача была не их. Зятя Максима. Зять — это муж дочери Тани. Он как раз искал человека сторожить свою дачу. Максим боялся, что дачу разграбят, или подожгут, или туда залезут бомжи и станут ночевать вместе со своими вшами.

Решили отправить туда родителей Тани: и старикам полезно дышать свежим воздухом, и дом присмотрен, и не надо платить за охрану.

Виктор Петрович (он же Виктор) был рукастый и разворотливый. Он собственноручно построил баню, да какую... Собственноручно собрал мотор для лодки. В это было трудно поверить, но в нем раскрылся и расцвел дар самородка Левши.

Виктор уходил в гараж, у него была там мастерская, и забывал о времени. День проскакивал как мгновение. Он буквально нашел себя в семьдесят лет. А до этого просидел в конструкторском бюро, что тоже не плохо, но с сегодняшним не сравнить. Там была работа мозгами, а здесь — мозгами и руками.

Он собирал моторы для лодок. Ему стали поступать заказы. На них Виктор покупал необходимую комплектацию. Деньги потекли ручьем, он стал их складывать в коробку для обуви. Это воодушевляло.

Таня с Максимом обитали в городе. На выходные приезжали на дачу.

Зятя Виктор не любил. Он не понимал свою дочь: как она, умница и красавица, могла полюбить такого…

Однажды зимой Виктор наблюдал, как зять входил в калитку. Калитка плохо открывалась, мешала наледь. Что делает нормальный мужик? Берет лом, скалывает наледь и свободно открывает. А этот — стоит и дергает, и рвет дверь до посинения, хотя лом стоит тут же. Взять лом и постучать по наледи — это ниже его достоинства.

В чем-то зять, может, и разбирается, в своем банковском деле. Но ведь это не освобождает человека от человеческого. А этот выродок заставляет жену делать аборты, убивать своих собственных детей. И вот результат: старость без внуков, а как не хватает мальчика. Виктор научил бы его собирать моторы для лодок, скалывать наледь, любить своих ближних — быть мужиком. Вот что самое важное: быть мужиком. Или женщиной с большой буквы, каковой была его жена Анна Николаевна. Как она любила кокетничать, наряжаться, обижаться, отдаваться. Всегда разная. За пятьдесят лет не надоела. Это надо уметь.

Старость — жестокая пора. Она отбирает у человека все: красоту, здоровье, память. Как в известном анекдоте, жена спрашивает мужа: «Дорогой, как фамилия того еврея, который от меня все прячет?» — «Альцгеймер, дорогая...»

Именно такой диагноз поставили Анне: Альцгеймер. Виктор спросил у врача, что это значит? Врач ответил: «Усыхает мозг».

Мозг усыхает, становится меньше, и постепенно все навыки, приобретенные за жизнь, говорят: «До свидания» — и уходят навсегда.

Анна Николаевна забыла, как ее зовут, как надо готовить еду, как одеваться. Она совала свои ноги в рукава кофты, думая, что кофта — это рейтузы.

Виктор Петрович одевал ее, готовил еду и кормил с ложки. Анна превратилась в ребенка, с той разницей, что ребенок как стрела устремлен в разум и расцвет. А жена Анна направлена во тьму и в закат, поскольку Альцгеймер не лечат. Даже американскому президенту Рейгану не помогли, а там и медицина, и деньги. Что уж говорить о нищей пенсионерке...

Когда-нибудь научатся изымать испорченный ген, и тогда станут излечимы такие недуги, как Альцгеймер, Паркинсон, рак, алкоголизм. Но когда научатся? И сколько осталось той жизни?

Виктор Петрович уходил в гараж, буквально прятался в гараже. Работал головой и руками и думал свою горькую думу: что их ждет? Ему казалось, что рядом с женой у него тоже усыхают мозги, он как бы погружается на дно океана, на него давит толща воды, — и ни солнца, ни воздуха. Хотелось сильно оттолкнуться ногами и всплыть, и вдохнуть полной грудью, и зажмуриться от яркого солнца.

Стоял летний полдень.

Виктор Петрович начинал работу в восемь часов утра и в двенадцать разрешал себе перекурить и перекусить.

Он стоял возле березы и курил, и вдруг — видение: Нефертити на лошади. Лошадь — серая в яблоках, красавица. А в седле — Нефертити с прямой спиной, высокой шеей. Изумительный профиль.

В молодые годы у Виктора над письменным столом висел портрет прекрасной египтянки в головном уборе, похожем на чеченскую папаху. Эта, на лошади, была без папахи, в кепочке. Короткий нос, высокие скулы. Прелесть.

Она ехала не спеша, покачиваясь в такт лошадиному шагу, и исчезла.

Виктор вышел за калитку. Он бы не удивился пустой дороге. Откуда здесь может быть живая лошадь и живая Нефертити? Просто видение — и все.

Прекрасная всадница действительно ехала по дороге на красивой лошади.

Всю следующую неделю Виктор Петрович выходил на дорогу и смотрел вдаль: не появится ли прекрасное видение, а если появится, то как с ней познакомиться? Однако какой смысл в этом знакомстве? Нефертити была женой фараона, зачем ей пенсионер?

На всякий случай Виктор Петрович брился и надевал свежую клетчатую рубаху.

Когда-то он был красив, и красота не оставила его. Старость ему шла.

Семьдесят лет — это молодость старости. Виктор Петрович сохранил стать: стройный, поджарый, ничего лишнего, а глубокие морщины не портили лица, даже украшали.

Многие к старости хорошеют. Душа выступает наружу. И если душа добрая, ясная и благородная, то и лицо такое же. И наоборот. Грязное нутро вылезает наружу, в этом случае старики бывают отвратительные.

Виктор Петрович всегда был красивым, но в последнюю неделю он дополнительно похорошел. Дочь Таня заметила перемену в облике отца.

— Влюбился? — пошутила она.

— Почему бы и нет? — благородно прокомментировал зять. — Сергей Михалков женился в восемьдесят три года.

— Он был талантливый и богатый. А богатые мужчины старыми не бывают, — сказала Таня.

— Талантливые мужчины старыми не бывают, — поправил зять.

Виктор Петрович согласился с зятем. Талантливые люди действительно не бывают стариками. Они скорее большие дети. Талант — это отсвет детства в человеке.

Нефертити появилась неожиданно. Без лошади. Она вошла в гараж и поздоровалась.

Виктор Петрович растерялся, но сделал вид, что ничего сверхъестественного не произошло.

— Добрый день, — ответил он.

— Мне сказали, что вы сможете исправить подкову.

Она протянула подкову.

Виктор Петрович покрутил, рассмотрел с обеих сторон. Подкова никуда не годилась. Такие вешают над дверью, а не прибивают к копытам.

— Где вы это взяли? — спросил Виктор Петрович.

— Мне подарили.

— Я так и подумал.

— Почему? — удивилась Нефертити.

— Сувенирная подкова. Дырки маленькие. Люди дарят то, что им самим не нужно.

Нефертити покачала головой.

Диалог был неконструктивный. Сейчас она заберет подкову и уйдет. Надо было что-то придумать.

— Если хотите, я достану вам подкову, — нашелся Виктор Петрович.

— Где?

— Это мое дело.

Он сам не знал где, но знал, что достанет хоть из-под земли.

— Если вам не трудно...

— А где вы живете? — спросил Виктор Петрович.

— Мы с вами живем на одной улице, только в разных концах.

Все жизненные проблемы Нефертити решала сама и одна. И вдруг... Незнакомый человек, похожий на американского сенатора, берет на себя одну из ее проблем. Пусть эта проблема касается лошади, но ведь лошадь — тоже на ней: питание, проживание, режим, прогулки...

— А откуда у вас лошадь? — спросил Виктор Петрович. — Где вы ее взяли?

— В цирке. Это была лошадь моего мужа. Она состарилась, ее списали. Я взяла ее себе. Не отправлять же близкого человека на колбасу.

— Разве лошадь старая? Незаметно.

— По мне тоже незаметно. Угадайте, сколько мне лет?

— Тридцать.

— Сорок восемь.

— Нет! — не поверил Виктор Петрович.

— Я всю жизнь езжу на лошади, позвоночник тренируется. А позвоночник — главное. Он держит.

— Как вас зовут? — спросил Виктор Петрович.

— Таня.

— Вы похожи на Нефертити.

— Я знаю.

— А как зовут лошадь?

— Маня.

— Таня и Маня...

Помолчали. Пролетел тихий ангел.

— Я сделаю подкову и позвоню вам. Дайте мне ваш телефон.

Таня продиктовала.

Семь цифр. Код к счастью. Золотой ключик.

Виктор Петрович нашел в интернете конно-спортивный комплекс. Позвонил, договорился, поехал.

Куда-то шел, по каким-то коридорам и мастерским, встречался с кузнецами. Один кузнец ему понравился, другой — нет.

Казалось бы, трудно различить по лицу, с кем имеешь дело, но Виктор Петрович был физиономист. Он знал — на лице все написано и все можно прочитать.

Нужно было снять мерку с копыт.

Виктор Петрович созвонился с Таней и пришел к ней домой.

Таня жила в деревянном строении, похожем на скворечник. Внизу — гараж, в гараже жила Маня. Сверху комната для Тани.

Комната находилась прямо над конюшней. Сплошные полки с книгами, стойкий запах лошадиной мочи, никаких следов мужчины. На стене — фотография юноши, похожего на восточного принца.

— Кто это? — спросил Виктор Петрович.

— Это мой сын Даня. Он живет в Англии.

Виктор Петрович хотел узнать, где живет отец Дани, но спрашивать было неудобно. Таня угадала его мысли.

— С мужем я разошлась, — сказала она. — Мы поделили имущество. Квартира в Москве ему, а дача мне.

Виктор Петрович быстро сообразил, что раздел неполноценный. Дача — скворечник, и земли кот наплакал. Соток пять, не больше. Муж обвел Таню вокруг пальца.

— Хотите чаю? — спросила Таня.

— Просто кипяток, — сказал Виктор Петрович.

— Почему?

— У меня от чая изжога.

Таня заварила сухие травы, которые сама насобирала в полях.

К чаю были поданы сушки и сухарики.

По всему было заметно, что Таня без денег. На что живет — непонятно.

— Надо было сохранить квартиру, — сказал Виктор Петрович. — Квартиру можно сдавать. Реальный доход. Аренда.

— Не поеду же я с Маней на девятый этаж. Где она там будет жить? На балконе?

Значит, все жертвы из-за Мани. Возможно, и мужем тоже пожертвовала.

— А вы давно с Маней? — поинтересовался Виктор Петрович.

— Всегда.

— А сколько ей лет?

— Четырнадцать.

— Это много?

— По человеческим меркам, один к пяти.

— Значит, семьдесят, — посчитал Виктор Петрович. — Как мне. Мы с Маней ровесники.

— Вам семьдесят? — удивилась Таня. — Я думала, пятьдесят. Стеснялась к вам подойти. Еще подумаете: старуха, а пристает…

Перед тем как уйти, Виктор Петрович зашел в стойло к Мане. Достал из кармана рулетку. Требовалось замерить копыта. Подкова должна быть по размеру, как ортопедическая обувь.

Таня помогала, поддерживала ногу лошади под коленом. Маня гневно косила фиолетовым глазом. Ей не нравилась фамильярность, исходящая от постороннего человека. Она тихо ненавидела, но держала себя в узде.

Таня бормотала лошади ласковые слова, увещевала, снимала агрессию.

Нежное бормотание обволакивало душу Виктора Петровича. И злоба лошади тоже нравилась. Это были живые чувства, живая энергия, которая совершенно покинула его жену. А здесь — сама жизнь, ее горячее дыхание…

Помимо сборки моторов, у Виктора Петровича появилась новая идея. Она называлась «Таня».

Он кинулся в заботу и усовершенствование ее жизни.

Тане явно не хватало помещения. Единственная комната на втором этаже совмещала в себе спальню, гостиную и кабинет. Прямо из комнаты лестница на первый этаж — крутая и опасная. Лестничный проем был не огорожен, просто дыра, как в погреб, и в эту дыру можно было загреметь среди ночи и сломать себе шею. Таня жила как матрос.

Виктор Петрович решил пристроить комнату на первом этаже — большую, метров пятьдесят, светлую и красивую. Много стекла. Эркер, чтобы свет падал с трех сторон. Мансардное окно на крыше. Ведь это справедливо, когда у Нефертити — удобная современная комната на первом этаже с эркером и мансардным окном. Свет будет литься с боков и сверху. Таня будет в этой комнате, как в хрустальном фужере, пронизанном солнцем. Он завезет ей мягкую мебель, широкий плоский телевизор, и они по вечерам будут вместе смотреть передачи и пить чай, заваренный сухими травами.

Анна Николаевна, бедная, забыла, как ее зовут и кто она вообще. Заботу мужа она не понимает и, значит, не ценит. И все его усилия уходят в песок, как в прорву. Зять Максим радуется, что Виктор Петрович зарабатывает на своих моторах, живет за свой счет, не просит. Теща — растение, лопух при дороге. Зачем лопуху деньги?

Родная дочь боялась своего мужа и не проявляла никаких инициатив, не предлагала отцу никакой помощи. Так что получалось, что Виктор и Нефертити — бесхозные, как детдомовские дети. Они никому не нужны. Сын Нефертити в Англии, муж-проходимец неизвестно где. Таня нужна только лошади. Маня без нее сдохнет.

Человек кому-то должен быть нужен. Кто-то должен в нем нуждаться. Хоть лошадь, хоть кто…

Настало время фундамента.

Виктор Петрович нашел хохла Ивана из города Тернополь. Он каждую весну приезжал с большой бригадой и зашибал деньгу. Рабочие вырыли глубокую траншею, армировали железом. Проложили арматуру, скрепили в ровные квадратики. Красиво. Профессионально. Любо-дорого смотреть. Буквально Фаберже.

Таня любовалась.

Пристройка находилась за домом, к ней не было подъезда. Приехала бетономешалка и вывалила десять кубов бетона прямо на землю. Иван нагнал рабочих со всех своих бригад, человек тридцать — мелкие, шустрые, как китайцы. У него это называлось «упасть».

Армия белых китайцев «упала» на строительную площадку, и они за двадцать минут перетаскали бетон в траншею.

Наблюдать за ними было интересно. Труд вообще притягивает глаз.

На другой день фундамент затвердел, стал благородно сизый. Основа для комнаты готова. А дальше — кирпичная кладка. Сложили за неделю. С расшивкой. Кровля — за четыре дня.

Виктор Петрович ездил за материалами сам, на своей машине. Выбирал. Платил.

Хитрожопый Иван содрал бы тройную цену за каждый гвоздь. Но не вышло. Личное участие хозяина обеспечивает качество материала и экономию средств.

Виктор Петрович увлекся стройкой.

Бригада работала быстро и красиво. Это относилось к грубым работам: фундаменту и кладке. Что касается электрики или водопровода, Виктор Петрович прорабу не доверял, нанимал проверенных специалистов.

Жить стало интересно.

Стройка — это творчество, и результат виден сразу, не то что конструкторское бюро: чертишь непонятно кому и непонятно зачем. И результата не знаешь. Так… На века… А строительство — как книга: придумал, построил, и вот он, дом. Вот она, комната. Главное в ней — пространство и свет.

Большая и светлая. Белые потолки. Мягкая мебель в бело-бежевых чехлах. Люстра — итальянская, металл и хрусталь.

Таня остановилась на пороге комнаты и замерла.

— Сколько любви…

Комната была создана любовью, и это читалось, считывалось.

Таня не верила в свое счастье.

Счастья в Таниной жизни было мало.

Уже в пятнадцать лет Таня была красавица. Помнит, как однажды она ехала в автобусе. Все сидели, а она стояла возле шоферской кабины. Не было свободного места. Она стояла, держась за поручень, а весь автобус смотрел на нее молча. Не могли оторвать глаз. Красота притягивает, не отпускает.

Таня видела устремленные на нее взгляды и смущалась, смотрела в пол. Она не любила повышенное внимание.

Потом — цирковое училище. Женский и профессиональный успех. Таня была ловкая, легкая, как белочка. Осваивала профессию эквилибристки.

«Она по проволоке ходила, махала белою рукой». В нее тут же влюбились оба брата — Аслан и Беслан. Они скакали на лошадях и творили чудеса во время скачки. Весь цирк замирал от страха, когда Аслан сползал с седла головой вниз, а лошадь несла его по кругу с горящим глазом. Братья вытворяли такое, что казалось, играли со смертью. Нарывались.

Таня влюбилась в Аслана, хотя Беслан был более красивый и экстремальный. Аслан — тонкий как стрела, с юмором. В нем было меньше Кавказа.

Это было хорошее время. Воздух вокруг них горел.

Такие состояния заканчиваются незапланированной беременностью. У Тани образовался огромный живот. Она называла его «дом, который построил Джек».

Дальше всё как у всех. От Аслана остался сын и низкая самооценка. Он все время унижал Таню, и ей стало казаться, что большего она и не стоит. Куда девалось то время, когда все ею восхищались и предрекали яркую судьбу?

Цирковые выходят на пенсию рано.

Таня осталась в цирке, ухаживала за лошадьми. Она любила лошадей, а лошади любили Таню. Таня ощущала свое родство с ними. Подозревала, что в прошлой жизни была лошадью.

Лошади, как и люди, — стареют. Лошадь Аслана Маня уже не могла скакать по арене, как прежде. У нее прогрессировала астма. Решили отбраковать.

Таня пошла к начальству, и они отдали ей Маню.

Сын вырос. Уехал в Англию.

Аслан выплыл из небытия с тем, чтобы развестись и забрать квартиру.

Он облысел, стал похож на обезьяну. Стройность перешла в худосочность. Таня смотрела на него и не могла понять: неужели этого задохлика она любила, и плакала, и ждала ночами…

Однако молодость прошла. Наступил средний возраст. Сорок восемь лет — ни туда ни сюда. Ровесникам она не нужна. Пятидесятилетние мужики ищут двадцатилетних с гладким телом, способных рожать. Остаются старички. Но что с ними делать? Дружить?

Таня махнула рукой на свое будущее. Сосредоточилась на настоящем. Ее настоящее — лошадь Маня. Маня занимала все время. Ее надо было кормить, прогуливать.

Таня надолго уезжала в поля — вот это настоящее счастье: простор, красота, единение двух живых существ.

Таня сидела прямо, позвоночник пребывал в легком массаже. Таня чувствовала все мышцы и каждую косточку. Сохраняла форму.

Лошадь — это спорт. И не только. Лошадь — это бизнес.

Таня научилась зарабатывать. Она продавала навоз — сто рублей ведро. Экологически чистое удобрение. Без химии и без пестицидов.

Она лечила бесплодие. Молодые женщины забирались в седло и делали «круги почета». Органы малого таза перетряхивались, кровообращение улучшалось, и, как это ни смешно, — бесплодие отступало. Женщины благополучно беременели.

Сеансы верховой езды брали и мужчины. У них тоже были свои проблемы. Маня пускалась в легкий галоп. Все, что надо, перетряхивалось, и очень часто этого было достаточно.

Врачи прибегают к таблеткам, уколам, имеющим побочные действия. А надо всего-навсего проехаться на лошади, размять застоявшиеся органы, активизировать кровообращение, вывести токсины.

Доход от бизнеса Тани-Мани был небольшой, но на еду хватало. К тому же не надо было ходить на работу, видеть тех, кого не хочешь, и делать то, что не нравится. И главное счастье — общение с Маней. Чувствовать своим телом ее теплоту, ее доброту и любовь.

Их двое на всей планете. Среди лугов и снегов. И небо сверху.

После Аслана Тане попадались мужские особи, но они как-то ухитрялись сесть на шею и свесить ноги. А Таня должна была их вести, как Маня. И она не могла понять: то ли они все такие захребетники, то ли она не стоит лучших. Лучшие мужчины достаются другим женщинам. Не ей. В таком случае — не надо никаких. У нее есть Маня. Маня не обидит и даже накормит.

Сын, конечно, существеннее, чем лошадь. Но сын далеко, у него своя семья. А Маня — близко, вздыхает в своем стойле за стеной, пахнет теплым нутряным запахом, довольно приятным.

Можно жить и так.

Анна Николаевна уже перестала быть Аней и даже Анной Николаевной. Перестала быть личностью.

Она ходила как зомби, и единственная привычка, которая у нее осталась, — это привычка есть.

Альцгеймер не имеет обратного хода, только вперед. Анна шла вперед в своем беспамятстве, тащила мужа за собой. И только забота о Тане держала его на плаву. Он хватался за эту заботу, как за соломинку. Он выживал Таней.

У Виктора Петровича было три обязательства: жена Анна Николаевна, моторы для лодок, Нефертити. Он все успевал. И даже не уставал, как будто его подключили к высокому напряжению.

Любовь — это и есть высокое напряжение.

Нефертити радовалась появлению Виктора. Без него — хаос и мрак. А с ним становилось понятно, как дальше жить, куда бежать.

Они садились в его машину — и вперед.

Оказалось, что без машины жить невозможно. Лошадь машину не заменяла. Лошадь — это член семьи, а машина — средство передвижения. Как она раньше жила без машины?

Виктор Петрович купил ей подержанную «хонду». Стал учить водить.

Какое это было удовольствие: нажать на педаль и почувствовать, как машина двинулась, послушная рулю.

Они выезжали в пустынные места, на заброшенные шоссе, чтобы никого не сбить ненароком. Виктор Петрович давал ей мастер-класс. Нефертити оказалась способной.

Он обеспечивал и культурную программу: пригласил Таню в театр.

Она принарядилась и вышла за калитку.

Виктор Петрович стоял возле своей темно-синей «вольво» — сухой, седой, врожденно элегантный. Нефертити была приятно поражена и впервые подумала о том, что раньше не приходило ей в голову, а именно: это ее мужчина. Вот он. Вот ее компенсация за испорченную жизнь.

Всю дорогу в театр она на него поглядывала, сидела притихшая. Потом спросила:

— От меня пахнет лошадью?

— Пахнет, — сказал Виктор Петрович.
— Вам противно?
— Нет, я люблю.
— Надо будет купить французские духи.
— Ни за что. Я не переношу химию.
— А навоз лучше?
— Лучше. Когда-нибудь будут выпускать духи с запахом навоза.

Весь спектакль Тане хотелось положить голову ему на плечо. Но она сдерживала себя.

Когда подъехали к дому, Таня обернула к нему лицо и сказала:

— Останься.

И он остался.

Утром его разбудило солнце.

Он никогда или почти никогда не ночевал вне дома. Он не мог заснуть в незнакомом месте. Но сейчас ему показалось, что он наконец-то после долгих скитаний вернулся в родной дом. Как Одиссей. Здесь его точка на земле.

Соседи с удивлением наблюдали, как изменились Таня и Виктор Петрович. Их лица светились, глаза горели, губы разъезжались в улыбке.

Виктор Петрович учил Таню водить машину, сквозь лобовое стекло было видно, как им радостно вместе. Они хорошо смотрелись. Не папашка с дочкой, не дядя с племянницей — просто два счастливых человека.

Все о чем-то догадывались, слегка завидовали. Чужое счастье при отсутствии своего всегда вызывает легкую зависть.

Нефертити задумывалась о своем будущем. Сорок восемь лет... Бабий век короткий. Она тоже подходит к своему пределу. В молодости еще как-то можно обойтись без мужа: энергия, дети, романы... А стариться надо вдвоем.

Виктор Петрович родился в первой половине прошлого века, он был в какой-то степени старомоден. Он опасался, что компрометирует Таню, хотя одиночество тоже компрометирует женщину. Получается, никому не нужна.

Виктор Петрович решил жениться на Тане, но прежде — посоветоваться с дочерью. Получить ее благословение. Все-таки ситуация была неоднозначная: он был женат и не женат. Тупик. И продолжать эту жизнь — значило продолжать тупик. А из тупика — на тот свет.

Виктор Петрович подождал, пока дети приедут на выходные.

Таня и Максим явились через две недели. Ничего с собой не привезли, как обычно. Привыкли, что в доме всегда их кормят.

Еда не особенно вкусная, но полезная. Вкусно — значит, вредно.

Обедали на веранде. Виктор Петрович поставил на стол винегрет, и селедочку, и запеченную курицу.

Зять оторвал от курицы обе ноги. Логично взять ногу и крыло. Но нет. Он ободрал все самое вкусное. Остов курицы лежал, сиротливо оттопырив крылья.

Виктор Петрович подумал: «Ну как можно жить с таким жлобом?» Однако промолчал. Впереди предстоял серьезный разговор.

— Я хочу с вами посоветоваться, — начал Виктор Петрович.

— Советуйтесь, — разрешил зять.

— Я решил жениться, — сообщил Виктор Петрович.

— Вы ведь женаты, — напомнил зять. — Вы муж Анны Николаевны.

— Я не муж, а медбрат. Наш брак — формальность.

— А на ком ты решил жениться? — удивилась дочь. — Кто такая?

— Соседка.

— А у нее дом есть? — спросил зять.

— Есть. Дом и лошадь.

— Какая лошадь? — не поняла дочь.

— Живая кобыла. Маня.

— Кобыла нас не интересует, — сказал зять. — Главное, чтобы не претендовала на нашу недвижимость. В дом ее не прописывать.

— А маму куда? — спросила Таня. — Сдашь государству?

— Мама останется с нами.

— Интересно… А зачем твоей новой жене старая жена? Ты же не мусульманин…

— Зачем этот штамп? — удивился зять. — Разве ТАК плохо?

— ТАК — плохо, — ответил Виктор Петрович. — Неприлично.

— А то, что ты придумал, это прилично? Больная жена — как дырявая крыша, которую надо менять. А где же сочувствие? Жалость? Любовь? Где все это? — спросила дочь.

— Может быть, она беременная? — предположил зять.

— Кстати, а сколько ей лет? — спросила Таня.

Послышался скрип открываемых ворот.

На участок вошла Маня — серая в яблоках. В седле сидела Нефертити с прямой спиной, длинной шеей.

У зятя отвисла челюсть.

Нефертити оглядела компанию и не стала задерживаться. Быстро удалилась.

— Женись, если хочешь, — вздохнула дочь. — И в самом деле: что у тебя за жизнь?

— Поступайте как хотите. Только никого сюда не прописывать. — Лицо Максима стало задумчивым. — А что она в вас нашла?

— Меня, — ответил Виктор Петрович.

— Интересно, — произнес зять. Он не предполагал, что в его тесте есть еще кто-то, кроме старика. А старик — это сбитый летчик. Когда-то, может, и летал, но кто об этом помнит…

Вопрос был решен. Виктор Петрович получил разрешение родственников. Оставалось сделать предложение руки и сердца.

Лучше всего сделать это утром, в начале дня. Начало дня — начало новой жизни. Впереди длинный день, сумерки не скоро. И всегда вместе: на рассвете, в полдень, в сумерки и ночью.

Анна остается в ауте, ее жизнь, как мяч, вылетает за пределы игрового поля. Жаль, конечно. Но ведь это уже и не Анна. Личность утрачена, индивидуальность стерта. А человек без индивидуальности — просто организм. Сердце качает, почки фильтруют, печень — химзавод, и это всё.

Анна не обидится, поскольку ничего не поймет и не почувствует. А сколько было страстей: любовь, ревность, злоба, месть… И куда все делось? Куда делась жизнь? Она тянулась так долго, а проскочила в один миг.

Утром Виктор Петрович накормил жену и быстро соорудил творожную запеканку.

Он навострился хорошо готовить, и запеканки у него получались лучше всего остального. Мало муки, сухой творог, ваниль, изюм, лимонная цедра.

Половину запеканки он отрезал жене, а вторую половину завернул в холщовое полотенце. Для Нефертити.

Выбежал из дома. Не вышел, а именно выбежал. Последнее время заметил: он не ходит, а бегает. Все время торопится.

Виктор Петрович ощутил вдруг, что у него болят скулы. Почему? Потому что он улыбается. Все время улыбается, сам того не замечая. Торопится и улыбается.

Танин дом был последним на его улице, подходил вплотную к лесу. Виктор Петрович вбежал на участок Тани, не доходя десяти метров до ее дома, остановился. Потом упал.

«Скорая» приехала через полчаса. Женщина-врач увидела человека в клетчатой рубашке и светлых джинсах. Рядом — творожная запеканка.

Нефертити казалась абсолютно спокойной. Но это было не спокойствие, а ступор. Она с трудом соображала и не хотела показывать свое смятение посторонним людям. В ней все было смято — в мозгах и в сердце.

— Он упал и умер, — сказала она врачу из скорой помощи.

— Он сначала умер, а потом упал, — поправила врач.

Таня смотрела непонимающе.

— Тромб. Он как пуля. Убивает на ходу. А потом человек падает уже мертвый.

Виктор Петрович лежал лицом в траве.

На дорожке появилась Анна Николаевна. Она увидела лежащего мужа, врача в белом халате, соседку. Ничего не поняла. Но почему-то проговорила:

— Обратим скорбь в силу.

Таня с удивлением посмотрела на Анну Николаевну.

— Когда умер Сталин, китайцы прислали соболезнования: «Обратим скорбь в силу», — разъяснила Анна Николаевна. Должно быть, какие-то участки мозга функционировали. Память искрила, как короткое замыкание.

Машина увезла Виктора Петровича.

Таня поехала вместе с ним. Не могла оставить его одного.

Она сидела рядом и держала его за руку.

Виктор Петрович лежал и легко улыбался. Он ушел, а улыбка осталась.

Кто его убил? И за что?

Таня вернулась домой ближе к вечеру. Анна Николаевна стояла там, где ее оставили, ждала Таню.

— Суп, — сказала она.

выстрел

Таня пошла в дом, разогрела обед и усадила Анну Николаевну.

Она кормила ее с ложки и вытирала рот чистой салфеткой.

Надо было сообщить родственникам о случившемся. Но куда сообщать? Анна Николаевна телефон дочери не помнила, она не помнила даже, что у нее есть дочь. Значит, придется ждать, когда они появятся сами.

раз, два, три…

Моя жена похожа на жену Рембрандта Саскию. Представьте себе Саскию с короткой стрижкой, в кожаной юбке и с авоськой в руках — получится моя жена.

Я привык к ее лицу так же, как к пейзажу за своим окном. За моим окном — смесь жанров: деревня в десять дворов, зажатая блочными домами. Дома современные, будто клеенные по швам. А деревня — традиционная, с кудрявыми палисадниками, высокомерными коровами, курами у колодца и грязью по весне. Я стою у окна и смотрю на строительные краны, задумавшиеся над маленькой деревней, как гигантские цапли.

Я знаю все, что будет через час, через сутки, через десять лет. Через час откроется дверь, войдет жена с авоськой и спросит:

— Ты меня любишь?

раз, два, три...

— Нет, — скажу я.
— Как — нет? — растеряется жена.
— Очень просто. Не люблю — и все.
— Ты же обещал, что будешь любить меня всю жизнь. Значит, врал?
— Я не врал.
— Значит, ты сейчас врешь?
— И сейчас не вру.
— Ничего не понимаю!

Придется объяснить жене то, чего она не понимает. Если я сумею толково объяснить, она обидится и расскажет мне про свою подругу — уродливую и безнравственную, которая живет в центре города и которую любит до полусмерти огромное количество людей. А моя жена — красивая и нравственная — живет среди кур, и ее не любит даже такое ничтожество, как я, потому что в наши дни ни кому не нужны нравственность и красота. Всем нужно внешнее и внутреннее уродство. Далее от своих качеств жена перейдет к моим и расскажет, что я по целым дням стою перед окном, что у меня такое лицо, будто я его отлежал, в нем не осталось даже элементарного любопытства к жизни.

Я обижусь, и мы поссоримся. А потом, естественно, помиримся. А зачем ссориться, если все равно надо мириться? Поэтому я предпочитаю другой диалог.

— Ты меня любишь? — спросит жена.

— Люблю.

— Очень?

— Очень.

— А как очень?

— Очень, очень, очень…

— Господи, каким ты это тоном говоришь… — разочарованно вздохнет жена и унесет авоську на кухню.

Холостой человек отличается от женатого тем, что не знает, как будет жить через час, через сутки, через десять лет. Когда человек не знает, он фантазирует. Фантазия — это творчество, а творчество — это взлет над обычным состоянием. Холостой человек может периодически взлетать над своим обычным состоянием.

А почему женатый не может, хотя бы ненадолго?

Есть такая детская считалочка: раз, два, три — начало игры.

Раз… Я надеваю белую рубашку.

Два… Достаю телефонную книжку и сажусь возле телефона.

Три… Набираю номер и слушаю гудки.

Какое это замечательное открытие — телефон! Земля, как нервами, пронизана телефонными проводами. И все люди связаны между собой. Один человек с другим. И это так несложно: надо просто подойти к телефону и набрать нужный код — соче-

раз, два, три...

тание цифр, такое же необъяснимое и случайное, как судьба.

— Ира? Привет!

— Кто это? — не понимает Ира.

Я называю имя, фамилию и отчество, как в анкете. Потом — год рождения и особые приметы. Тогда она вспоминает.

— Ты где пропадал? — удивляется Ира.

— На Земле Франца-Иосифа марганец копал. Давай встретимся.

— А что мы будем делать?

— Взлетим над обычным состоянием.

— Лети один. Я не могу.

— Почему?

— У меня диссертация.

— Какая диссертация?

— Электромагнитный эффект в кристаллах германия.

Пока я был на Земле Франца-Иосифа, Ира не теряла времени даром.

— А зачем тебе этот эффект?

— Не мне. Человечеству.

— Ну, как хочешь... — говорю я.

Когда кто-то обеспокоен судьбами человечества, не следует его отвлекать. По тому что это очень редкое качество — думать еще о ком-то, кроме себя.

Я листаю записную книжку по алфавиту и читаю имена. Записная книжка — это жизнь с ее главными и неглавными направлениями, с праздниками, с кладбищем.

Как кресты на новом Рижском кладбище, выстроились имена в записной книжке. За одними что-то встает, а за другими не встает ничего. Люди с этими именами продолжают жить и существовать, но их нет в твоей жизни, значит, их нет вообще. И звонить по такому телефону — все равно что вызывать голос с того света, как на спиритическом сеансе.

— Галя? Привет! — бодро кричу я.

— Кто это? — спрашивает Галя.

— Угадай.

— Боря…

— Нет, не Боря.

— Саша…

— И не Саша.

— Аля…

— Ты что, меня за женщину принимаешь?

— Нет, я принимаю тебя за мужчину.

— Тогда давай встретимся.

— Не могу. Мне надо за ребенком к маме ехать.

— А ты мужа пошли.

— Правильно. Мужа пошлю за ребенком, а сама пойду гулять не знаю с кем.

Все резонно. Люди ходят гулять только с теми, кого знают. Я тоже пойду с тем, кого знаю с детского сада.

Я больше не смотрю в записную книжку, потому что помню телефон на память.

— Андрей, — кричу я, — привет!

раз, два, три...

Моя жена считает, что Андрей похож на диктора телевидения Кириллова. Если бы у Кириллова выпали волосы, нос стал коротким, а лицо круглым, то он как две капли воды походил бы на моего друга Андрея.

— Привет, — отвечает Андрей.

— Давай взлетим над обычным состоянием.

— Выпьем? — уточняет Андрей.

— Видно будет, — неопределенно отвечаю я.

— Сегодня не могу. Иду на день рождения к родственнику.

— Неужели тебе интересно идти к родственникам?

— Традиции...

— Да плюнь ты на них.

— Нельзя. Человек без традиций — голый.

Итак, у одного дело, у другого семья, у третьего традиции. Земля, как в нервах, в телефонных проводах. Можно набрать любое сочетание цифр и позвонить в любую квартиру. Позвонить можно, дозвониться нельзя. Есть ли код, по которому можно дозвониться до человека?

Телефоны заняты, и люди заняты — каждый своими делами и традициями. А у меня, между прочим, тоже родственники есть. И жена есть, похожая на жену Рембрандта. Ей, может, тоже хочется взлететь, а она в магазин пошла. Сейчас вернется.

Мы можем вместе с ней выйти из дома и вместе взлететь.

Раз... Я снимаю белую рубашку.

Два... Возвращаюсь к окну и смотрю на пейзаж.

Три... Отворяется дверь, и появляется жена с авоськой.

— Ты меня любишь? — испуганно спрашивает жена, будто только за этим и пришла.

— Люблю.

— Очень?

— Очень.

— А как очень?

— Очень, очень, очень... — убежденно говорю я.

— Каким ты это тоном говоришь... — смущается жена и уносит авоську на кухню.

все не так просто

Елена Петровна никогда не опаздывала, всегда приходила вовремя, но очередь возле ее кабинета уже сидела и ждала, с нетерпением поглядывала на часы.

Больные любили Елену Петровну. Они ей доверяли, а это очень важно для врача. Их единственная неповторимая драгоценная женская жизнь находилась в ее руках. Так им казалось, но больные ошибались. От врача мало что зависит. На все воля Божия и Провидение Господне.

Больные входили по очереди. У каждого — сто вопросов. И глаза на лбу от напряжения. Кто-то страстно жаждал иметь ребенка и мечтал забеременеть. Кто-то, наоборот, хотел избавиться от плодного яйца. Елена Петровна всегда уговаривала: еще семь месяцев — и готовый ребенок... Часто ей это удавалось.

В конце рабочего дня казалось, что она просидела в будке с высоким напряжением. На таких будках обычно рисуют череп и кости. Но без работы — не могла. Без работы жизнь казалась пустой и не имеющей смысла.

Этот день она запомнила. Среда. Елена Петровна закончила прием и достала из сумки термос с кофе. В этот момент раздался звонок. Звонили не на мобильный, а в кабинет. Значит, звонок не личный, а служебный.

— Я слушаю, — отозвалась Елена Петровна.

В трубке молчали, но молчание было живое. Чувствовалось, что кто-то там дышит.

— Слушаю! — повторила Елена Петровна.

— Простите... Я даже не знаю как сказать, — отозвался женский голос.

— Кто это?

— Вы меня не знаете. Мы не знакомы.

— А что надо?

Скорее всего, нужна ее консультация. Что еще надо от врача...

— Надо, чтобы вы приехали ко мне в среду, в одиннадцать часов вечера.

— Я не консультирую на дому. Приходите в поликлинику.

— Необходимо ваше личное присутствие. Об этом просил ваш муж.

— Вы что-то путаете. Мой муж умер полгода назад.
— Я знаю, — отозвался голос. — Мы вчера устроили спиритический сеанс. Я вызывала свою маму. И подошел ваш муж. Попросил о встрече. Попросил, чтобы я вызвала вас на среду.
— Как попросил?
— Подошел к моей маме и попросил.
— А телефон тоже он дал?
— Нет. Общие знакомые...
— Вы меня разыгрываете? — проверила Елена Петровна.
— Ни в коем случае. Запишите адрес. Ломоносовский проспект, дом двадцать четыре, квартира девять. Вы должны приехать к одиннадцати часам. У нас будет спиритический сеанс. Очень хороший медиум. Сергей Левитин, знаете такого?
— Нет, конечно...

«Сумасшедшая», — подумала Елена Петровна.

— Вы не подумайте, что я сумасшедшая. Просто я очень скучаю по маме. Я боюсь, что ей там плохо. Поэтому я устраиваю спиритические сеансы. Я на них подсела. Мы с мамой общаемся.
— А что она говорит?
— Говорит, чтобы я оставила ее в покое. У них там все не так просто.
— А каким образом там оказался мой муж?

— Подошел и попросил. Может быть, шел мимо. А может, они с мамой были знакомы при жизни.

Елена Петровна молчала.

— Я обещала вас позвать. Я выполняю обещание. И очень прошу: придите. Покойников не обманывают.

— Ну хорошо, — отозвалась Елена Петровна. — Я приду.

Елена Петровна налила кофе в стаканчик термоса и стала пить редкими глотками. Она наслаждалась вкусом кофе и старалась ни о чем не думать.

До среды оставалось два дня. Елена Петровна узнала, что такое спиритический сеанс и как происходит общение с параллельным миром.

Спиритические сеансы существовали сто лет назад и больше. Некоторые считают, что это происки дьявола. Блюдце крутит не дух умершего, а коварный бес. Но… кто знает. Болгарская прорицательница Ванга разговаривала с умершими. Значит, это возможно.

Настала среда. День выдался отвратительный. Глубокая осень, мелкий дождь. Темнеет рано. Рассветает поздно.

Больных не много, но трудные.

Медсестра Дина сунула куда-то результаты лабораторных исследований и не могла вспомнить — куда?

Больная, крашеная блондинка, постоянно заглядывала в кабинет, ей говорили: «Подождите», блондинка не понимала — в чем дело? Нервничала. Подозревала, что от нее что-то скрывают, а именно — плохой результат. В какой-то момент ей сказали правду: потеряли.

— И что теперь? — спросила больная.

— Сделайте повторный анализ, — сказала Елена Петровна.

Блондинка обрадовалась, как ни странно, а Елена Петровна расстроилась.

Вернулась домой, вдруг вспомнила, что ей надо на Ломоносовский.

«Не поеду, — решила она. — При чем тут я...»

Муж, его фамилия была Осипов, ревновал Елену к Гришке Литру. Они все учились на одном курсе. Литру был совершенно не в ее вкусе: высокий, знойный молдаванин. О таких Елена говорила: «Красавец» — с ударением на последней гласной. Ей казалось, что красота бывает дарована в ущерб уму и таланту. Да и зачем мужчине красота? У Литру был высокий рост, большие глаза и маленький рот, как копейка. Удобно свистеть. Елена не понимала медсестер, которым он нравился. Но врач был хороший. Главное его достоинство — интуиция. Он не столько знал, сколько чувствовал.

Елена не могла не ценить Литру, она его уважала и озвучивала это свое отношение. Но оно не имело ничего общего со страстью.

Страсть у нее была только к Осипову, да и то в первые три года их совместной жизни. А потом все сожрала его ревность. Ревность имела много стадий. Сначала острая стадия: он пил и скандалил. Потом острая стадия перешла в хроническую. Если звонил телефон и Елена уходила разговаривать в ванную комнату, муж не сомневался, что она договаривается о встрече. Когда родился сын, муж не сомневался, что это сын от Гришки Литру, и даже находил сходство.

— У нас профессиональная дружба, — объясняла Елена.

Но у Осипова была своя точка зрения: с дружбы может начинаться, потом обязательно скатывается в постель. Даже из любопытства. Елена была чиста в своих действиях и помыслах, как капля утренней росы на бархатном лепестке розы. Однако Осипов не сомневался в их грязном сожительстве. Он обзывал Гришку Пол-литра и мечтал отрубить ему пенис. За такое членовредительство сажают в тюрьму, поэтому Осипов терпел, но изнывал, медленно тлел на огне ненависти.

Так продолжалось много лет. Жизнь превратилась в мясорубку, которая перемалывает все святое и все базовые ценности.

все не так просто

Осипов оказался больше бизнесмен, чем врач. Довольно скоро у него появилась своя частная клиника. Клиника была маленькая, но своя. Елена категорически отказалась в ней работать. Она вообще терпеть не могла частные клиники, в них мало кто думает о здоровье. Все думают только о прибыли. Зарплаты в клинике были неизмеримо выше, чем в городской больнице, где работали Елена и Литру. Но ведь не хлебом единым...

Свято место пусто не бывает. В клинике появилась молоденькая медсестра, которой надо было выживать. Она жила где-то на выселках в спальном районе. У нее на руках была больная мать и маленький брат. Беспомощной девушке надо было помочь, ей требовался Дед Мороз с мешком подарков, которые достал бы из мешка: квартиру, машину, дачу и большую любовь.

Осипов решил доказать себе, что он мужчина, а не рогоносец со стажем, и повел себя как мужчина. Не стал долго мурыжить медсестру Лалу, а ушел к ней. Вернее, купил квартиру и перевез Лалу к себе вместе с мамой и братом. Мама пригодилась. Она стала вести хозяйство бесплатно. А от брата были большие неудобства. Двенадцатилетний мальчик любил пробираться в его кабинет и стирать в компьютере все, что нужно было ему для работы.

Осипов сначала растерялся, потом озверел, но не бить же ребенка…

Нет мира под оливами.

Лала была не дура, просто очень молодая. Непонятно, о чем с ней говорить. С Еленой он тоже не особенно разговаривал, ему было неинтересно, кто там кровит, кто выкидывает… Они молчали в основном. Но молчание было другим. Наполненным. А здесь — пустым.

Лала постоянно включала музыку. Ей надо, чтобы грохотало. Этот музыкальный грохот подменял процесс мышления.

Под этот грохот Осипов и умер. Сидел за компьютером и откинулся на спинку стула. Внезапная остановка сердца. Так бывает от стрессов и перегрузок.

Зачем ей идти на спиритический сеанс, зачем встречаться? Он сначала изуродовал жизнь своим недоверием, потом бросил. А потом и вовсе умер, хотя бросил и умер — это одно и то же.

Тем не менее по бывшему мужу скучала. Когда он был с Лалой, то казался чужой, измазанный ее поцелуями. А сейчас, мертвый, он был ничей. И вспоминалось почему-то не плохое, а только хорошее.

Елена хотела, чтобы Осипов ей приснился, повидались бы, пусть и во сне. Но он не снился.

В один прекрасный день позвонила Лала и спросила: претендует ли прежняя семья на квартиру?

Елена не поняла:

— Вы хотите, чтобы мы жили вместе?

— Нет. Но можно продать и разделить деньги.

— А вы где будете жить?

— Куплю себе что-нибудь поменьше.

— А зачем? — спросила Елена.

— Что «зачем»?

— Зачем менять хорошую квартиру на две плохих?

— Одну вам, другую мне.

— Мне от него ничего не надо, — сказала Елена. — У меня есть его сын. На память.

Положила трубку. Клиника после Осипова перешла к его компаньону. Елена не вмешивалась. Она поняла вдруг, что без мужа ей не надо ничего, только ее работа.

А Лала — вовсе не сучка. И все в жизни не так однозначно.

Елена вернулась с работы в четвертом часу, и тут же раздался звонок.

— Вы помните, что сегодня среда?

— Кто это? — не разобралась Елена.

— Вы должны приехать сегодня на Ломоносовский проспект.

— Я не поеду, — сухо сказала Елена.

— Это невозможно. Мертвых не обманывают.

Елена растерянно молчала.

— Можете немного опоздать. Мы вас ждем.

— Я плохо себя чувствую.

— Вы должны прийти, — приказала незнакомка. — У них там тоже все не просто.

Мертвых не обманывают. Там другие правила.

Улицу и дом она нашла быстро.

Квартира оказалась не заперта.

Елена вошла, робея. В прихожей на вешалке висела гроздь пальто. Должно быть, пришло много народа.

Тихо разделась. Сняла туфли. Осторожно ступая, прошла в комнату.

Вокруг стола сидели люди — человек семь. Плюс два медиума, женщина и мужчина. Их руки висели над опрокинутым блюдцем. На блюдце синим фломастером была нарисована длинная стрелка. Блюдце медленно вращалось, время от времени задерживаясь. Все взгляды были жадно устремлены на буквы, против которых останавливалась стрелка. Действительно, складывались слова.

— Мама, а как тебе там? — допытывалась женщина с прямыми серыми волосами. Она была похожа на птицу. Елена догадалась, что это — хозяйка дома.

все не так просто

Блюдце поползло, сложилось предложение: «Это нельзя объяснить».

— А какая разница «там» от «тут»?

«Это одно».

Хозяйка дома заметила Елену.

— Мама, а Осипов пришел? Его ждут.

«Он придет».

Елена поняла, что она не опоздала. Слава богу. Муж еще не приходил. Принесла себе из кухни табуретку. Села. Оглядела присутствующих. С одинаковым выражением лица они все казались одинаковыми независимо от возраста.

— С кем ты дружишь? — допытывалась хозяйка дома.

Ответ: «С Ломоносовым».

Это шутка? Или на самом деле? Переместившись на тот свет, можно встретить Ломоносова и Пушкина и даже с ними дружить или по крайней мере общаться.

Елена не была верующей. Ей казалось, что человек — это маленькая электростанция, которая вырабатывает ток. Отсюда свечение, называемое аура. А когда человек умирает, рубильник вырубается и ток больше не идет. Кровь останавливается, процессы прекращаются. Точка.

А здесь, на спиритическом сеансе, становится ясно, что ничего не прекращается, человек просто переходит из одного состояния в другое. Другая форма существования.

Другие физические законы. И Солженицын так считал. А Солженицын — понимает.

Существует же слово: душа. Возле этого слова всегда стоит другое: бессмертная. Значит, сознание существует и без плоти. В этом случае плоть не надо поддерживать питанием. Плоть не болит, раз ее нет. Она остается в прежней жизни, и ее зарывают или жгут за ненадобностью. А душа — вот она. Разговаривает, общается. Может быть, жизнь и смерть — это день и ночь. Это одно. Сутки. А сутки — это молекула жизни, которая включает в себя смерть.

Пришел Осипов. Об этом сообщила мама хозяйки дома.

Буквы сложились в вопрос: «Ты здесь?»

— Я Елена, — отозвалась Елена.

Мало ли, может, он ждал Лалу.

«Хорошо, что ты пришла. Спасибо. Я тут встретил Литру, он сказал, что у вас с ним ничего не было».

— Когда ты его встретил? — удивилась Елена.

«Короче, я был не прав, ты меня прости».

— Подожди, разве Литру умер? Я его видела неделю назад.

«Я должен торопиться. Слушай внимательно: в ванной комнате у меня спрятаны деньги. Отодвинь плитку сразу за унитазом, там в стене углубление, в нем деньги. Это тебе».

— А Лале?

«Это тебе. У меня все, я пошел».

— Подожди...

«Не могу. Я должен торопиться».

Блюдце остановилось.

— Он ушел, — сказала хозяйка дома.

Все подняли головы и посмотрели на Елену.

— Вы перепрячьте деньги, — посоветовал один из участников. — Сегодня же.

— Почему? — спросила Елена.

— Ну, все знают...

Елена не поняла: все — это участники спиритического сеанса или души умерших, включая Ломоносова...

— А можно вызвать дух царя Николая Второго? — спросила молодая женщина.

Спирит Сергей Левитин торжественно произнес:

— Ваше Высокопревосходительство, согласны ли вы уделить нам несколько минут?

Блюдце долго стояло, потом тронулось.

Ответ: «Пошли вы все к чертовой матери. Я здесь с семьей. Мы вместе, и нам хорошо».

Елена оробела. Мог ли царь так изъясняться: «к чертовой матери»?

Она тихо сползла с табуретки и вышла в прихожую. Оделась. Покинула квартиру. На лестнице вспомнила, что оставила сумку. Пришлось вернуться. Тихо, на цыпочках прошла в комнату. Сумка стояла на полу возле табуретки.

Спирит Сергей Левитин вдруг убрал руки, висящие над блюдцем, закрыл ладонями свое лицо и бурно зарыдал, крупно вздрагивая. Сидящая рядом спиритка обняла его за плечи, стала торопливо целовать его голову. Приговаривала:

— Тихо, тихо, мой хороший, мой мальчик милый, солнышко мое...

Видимо, спиритический сеанс — это большое напряжение для медиума, и он не выдержал. Выбило пробки.

А может, это вовсе не души. Может, это демоны развлекаются. Там у них все не так просто.

Выйдя на улицу, Елена достала мобильный телефон и позвонила Литру. Подошла его жена Валя.

Елена поздоровалась и попросила:

— Позови, пожалуйста, Гришу.

— Его нет, — сказала Валя.

— А где он?

— Нигде. Он умер.

— Когда?

— Три дня назад. Сегодня похоронили.

— Я только сегодня узнала.

— От кого? — спросила Валя.

Что она скажет? От Осипова?..

— А как это случилось? — спросила Елена.

— Смотрел футбол. И умер.

— Ужас.

— Вовсе не ужас. Легкая смерть.

Валя нажала на кнопку.

Одна больная Елены сказала: «Я умру скоро, но не завтра». И вот это «не завтра» очень радует и просветляет. То есть не завтра, а когда-нибудь. И неизвестно, как далек этот час. А пока... Небо голубое или серое, день смеется или плачет, собака хочет есть и заглядывает в лицо, кот хочет любви и дерется с другими котами, боится упустить наслаждение.

Деньги Елена не нашла.

Она обстучала всю стену позади унитаза и даже отодрала несколько плиток. Пусто. Не будет же она обдирать всю ванную комнату, иначе придется делать ремонт, а это столько денег, столько грязи... Но Елена была уверена: где-то лежат эти деньги. Может быть, Осипов сначала положил их за унитазом, а потом перепрятал. Но забыл куда. Пройдет время. Потомки захотят сделать ремонт, обдерут стены, поднимут паркет и найдут клад. Возможно, деньги станут другие, эти обесценятся и просто будут напоминать о том, что когда-то здесь жили, любили, страдали и умерли.

На консультацию пришла тридцатилетняя женщина. У нее первая беременность плюс опухоль яичника. Лечащий врач из поликлиники настаивает на операции, но тогда беременность прервется. А женщина хочет ребенка, и не просто хочет — это единственная цель ее жизни. Она с таким трудом забеременела, и вот…

Елена была уверена, что опухоль — гормональная и рассосется в течение беременности. Операция не нужна. Более того, на лицо врачебная ошибка. Хорошо, что больная перепроверила диагноз. Если бы она доверилась врачам из поликлиники, осталась бы без яичника и без потомства. И самое интересное: врачам ничего бы не было. Ошибочный диагноз. В нашей стране за это не наказывают, ведь не нарочно…

Женщина родила через полгода и не поленилась, прибежала в поликлинику показать девочку.

Елена посмотрела на два вытаращенных черных глаза и заплакала.

Она плакала сразу и по Осипову, и по себе, и от ужаса, что этого человечка могло не быть…

Обычно больные носят благодарственные подношения: бутылки, цветы, конфеты. А эта женщина принесла показать малыша.

Конфет у Елены целый склад, можно открыть ларек и продавать, тем более что сама она не любила сладкое.

А черноглазая щекастая девочка — вот оно, реальное бессмертие. И Елена стоит у врат, помогает детям явиться на свет. Как архангел Гавриил. Хотя неизвестно, кто там, наверху, этим занимается… Там у них все не так просто.

случайная связь
повесть

Это была пятница. Конец недели.

Стасик пришел в Дом литераторов. У него была назначена встреча с режиссером Шубиным. Режиссер собирался ставить фильм по сценарию Стасика. Надо было обговорить предстоящую работу.

Стасик подозревал, что Шубин (Шуба) запустит лапу в его гонорар. Все режиссеры так делали, особенно плохие. Плохие режиссеры — бедные люди, поэтому они пытаются заработать везде, где можно и где нельзя.

Шубин — неплохой режиссер, скорее неровный. Но сценарист — лицо зависимое, как проститутка у вокзала. Стоит и ждет — купят ее или нет. Хорошие режиссеры, как правило, пишут сами или имеют своих постоянных соавторов. Стасик может рассчитывать на случай, как в рулетке.

Вдруг выпадет удача: талантливый известный режиссер или талантливый, но неизвестный.

Шубин — не молодой, но молодящийся. Худой, холостой, постоянно голодный и нервный. И всегда кому-то должен.

Стасик — тоже немолодой, за пятьдесят. Вообще-то, он был Станислав Владимирович, но произносить полностью имя и отчество получалось очень долго, поэтому ограничивались именем: Стасик.

Стасик был прочно женат на женщине по имени Лида. За глаза ее называли Корявая Лида. Она действительно была некрасивая, причем смолоду. Стасик женился на ней за неимением ничего лучшего. Он и сам был некрасивый. У него были мелкие глаза и большой нос. Все лицо как бы сформировано вокруг его тяжелого носа. Он был некрасивый и одновременно красивый. Просто надо немножко привыкнуть к его лицу. При этом он был тихий и безвольный. Встречался с Лидой по ее инициативе. Скрывал свое высокородное происхождение. Кто бы мог подумать, глядя на Стасика, что его прадед был губернатором большого уездного города... В дальнейшем дед выдавал себя за учителя гимназии.

Стасик спустился в подвал Дома литераторов, где размещалось дешевое кафе. Дорогой ресторан находился на первом этаже. Там ели состоятельные представители творческих профессий. Там были волшебные витражи, резное дерево и запах богатства и успеха. Там был рояль, льняные скатерти, цыплята табака, запеченная осетрина и шустрые официантки. А здесь, в подвале, — пластиковые столики, самообслуживание, бутерброды и спиртное в разлив. Кому рюмочку, кому фужер.

Стасик взял себе кофе и бутерброд с сыром. Бедным он не был, но платить за Шубина не хотел. Он не любил, когда им пользовались.

Шубин опаздывал. Стасик не спеша ел свой бутерброд. Сыр был безвкусный, как резина.

За соседний столик села женщина. Худая, но не тонкая, а какая-то недокормленная. Глаза большие, круглые, как у пупса. Молодая, но не слишком, за тридцать. Общий вид какой-то испуганный, детдомовский.

Стасику такие нравились. Он таких не боялся. Красивые женщины его отпугивали. Они казались чересчур востребованными и неоправданно дорогими. У Стасика не было далекоидущих намерений. Он не собирался бросать свою Корявую Лиду. Во-первых, она родила ему потрясающего сына Костика. Мальчик был с выдающимися способностями. Он пошел в первый класс, и его сразу перевели в четвертый, потому что программу первого класса он усвоил за неделю. Программу четвертого класса он усвоил за десять дней. Короче, он окончил школу в одиннадцать лет. И поступил в университет.

Как правило, вундеркинды со временем выравниваются и становятся обычными людьми, но не Костик. Костик продвигался семимильными шагами сначала вперед, а потом вглубь.

Умные люди посоветовали отправить Костика в Америку. Там его ждет яркое настоящее и будущее, столь же яркое. А здесь, в застое социализма, Костика не ждет ничего. Максимум — двушка в хрущевке и «жигули». А мировые открытия будут лежать у него в ящике письменного стола, поскольку они больше никому не будут нужны.

Костик уехал в Америку по приглашению какого-то серьезного университета, там он довольно скоро женился на девушке из Архангельска. Лида сокрушалась: стоило ехать в Америку, чтобы жениться на девушке из Архангельска.

Стасик в глубине души лелеял мечту: когда сын уедет, он сможет уйти от Лиды и жениться на прекрасной женщине, которую он искал всю жизнь. Сейчас, в свои пятьдесят два года, Стасик набрал козырей в колоду. Он — известный сценарист, тогда как раньше — учитель литературы. У него был широкий круг престижных знакомых: артисты, композиторы, поэты, которые обогащали его жизнь.

Однако бросить Лиду было непросто. Костик пристально следил за ними из-за океана. Он бы не понял отца и не позволил совершить предательство.

Стасик и Лида укрепились материально — не то что раньше. Позади была такая нищета… Были времена, когда они рано ложились спать, потому что нечего было есть. А ночью просыпались и не могли спать от голода.

Были времена, когда они ели только хлеб и воду, копили на квартиру.

Стасика не печатали и не брали в производство его сценарии. Кому нужен неизвестный и нераскрученный автор…

А сейчас, когда он стал востребованный и почти красивый — возраст ему шел, — когда женщины не просто соглашались, а искали его общества, звонили домой, придумывали поводы… Сейчас бросить Лиду, которая за двадцать пять лет их совместной жизни стала уж совсем корявая… Она не следила за собой, не наряжалась, не красилась, просто мылась, и от нее пахло дешевым земляничным мылом. Все лучшее — Стасику. А Лида — ломовая лошадь. Бросить ее такую было невозможно и не хотелось. В конце концов, для острых ощущений можно обойтись случайными связями. Тогда и совесть на месте, и праздник жизни с тобой.

Случайные связи стали нормой. Они продолжались до тех пор, пока случайная связь не начинала задавать вопросы типа: а когда ты на мне женишься? Стасик не говорил: «Никогда». Просто становился сильно занят и постепенно растворялся в пространстве. Его нет. Телефон тарахтел. Стасик не подходил. Лида снимала трубку и говорила: «Его нет дома».

Стасик никогда не сознавался в случайных связях. Просто поклонницы таланта. Лида хотела верить. Более того, успех мужа она относила за свой счет. Это был их общий успех. Это она сделала из учителя писателя. Кто бы он был без нее?

Режиссер Шубин все не шел. Круглоглазая девушка ела свою еду: витаминный салат из свежей капусты, винегрет, яйцо под майонезом. Белки и углеводы. Неплохо.

Девушка была похожа на зверька лемура, глаза вполлица.

— Вы не хотите сесть ко мне? — спросил Стасик.

— Зачем? — не поняла девушка.

— Познакомиться.

— А-а… — отозвалась девушка.

Продолжала есть. Ни да ни нет.

Стасик взял свой кофе и сел за ее столик.

— Давайте познакомимся, — предложил Стасик.

Его не особенно заботило начало отношений. Он знал, что во всех случаях любые отношения скоро рассосутся сами собой. Все в этом мире конечно. Даже жизнь.

— Вы похожи на лемура, — сказал Стасик.

— Лямур — это любовь? — Она подняла глаза.

— Нет. Лемур — это зверек. По-моему, он ползает по деревьям. Меня зовут Станислав Владимирович.

— Я вас знаю. Вы Костин. У нас в театре идет ваша пьеса.

У Стасика действительно шла пьеса в детском театре.

— Вы актриса? — спросил он.

— Да. Травести.

— А кого вы играете в моей пьесе?

— Задние ноги лошади.

— Действительно? — удивился Стасик.

— Ну конечно. Мы играем лошадь вдвоем. Передние ноги у Захаровой.

— А кто играет голову?

— Захарова. У нее голова и ноги. А у меня ноги и хвост. Я стою под прямым углом.

— Когда-нибудь вы станете звездой и будете вспоминать, что играли хвост лошади.

— Я никогда не стану звездой. Я просто со временем уйду на пенсию.
— Тоже ничего страшного. Будете рассказывать внукам, что играли половину лошади.
— У меня не будет внуков, потому что у меня нет и не будет детей. Я просто состарюсь, если не умру раньше старости.

Поддерживать эту тему было бессмысленно.
— Хотите выпить? — спросил Стасик.
— Хочу.
— Шампанское?
— Водку. И горячую сардельку. А то я опьянею.

Стасик принес то и другое.

Выпили. Стало хорошо. Как-то спокойно.
— Как вас зовут? — спросил Стасик.
— Лариса. Лара.
— Красиво. Лучше, чем Лора. А меня Станислав, хотя я уже говорил.
— Стани́слав, — поправила Лара. — Это польское имя с ударением на «и».
— Красиво, — согласился Стасик. — В самом деле лучше.

Лара разрумянилась. В лице появились краски. Она оказалась даже хорошенькая, хотя Стасику подошла бы любая. Он любил женщин в принципе. Ему было с ними легко, с ними он был умнее, интереснее, как чеховский Гуров из «Дамы с собачкой». И женщинам Стасик нравился, потому что казался легкой добычей. Он был какой-то бесхозный. Ничей. Никому не принадлежал — ни душой, ни телом. Лиде он принадлежал своей совестью. Но ведь совесть — это не тело. Каждой женщине, с которой он пускался во флирт, хотелось его приватизировать, взять в собственность — тем более что Костин был человек известный, статусный и не бедный. Не Шекспир, конечно, но имя на слуху. Его пьесы шли по всей стране.

Появился Шубин. Он опоздал на сорок минут, что свинство. Стасик смутно догадывался, что у него с Шубой ничего хорошего не получится. Шуба — из другой стаи, где слово ничего не значит.

Шуба присел к столу. Не извинился за опоздание. Неодобрительно посмотрел на Лару. У Шубы были другие женщины — дорогие проститутки, красивые и алчные. А Лара — как уборщица. Поставила в угол швабру и присела к столу — растерянная, непородистая. Ну, да ладно.

— Будем говорить при ней? — уточнил Шубин.

— А почему бы и нет… — Стасику было неудобно за Шубу. Он вел себя так, будто Лара отсутствовала.

— Ну хорошо, — согласился Шубин. — Я подумал: будем делать из твоей истории мюзикл.

— Зачем? — удивился Стасик. У него была простая чеховская история, и при чем тут мюзикл — неясно.

— Должно быть два слоя: реальный и воображаемый. Тогда мы соберем кассу и отобьем все расходы.

— Тебе нужен другой сценарий, — сказал Стасик.

— Здесь главное не сценарий, а музыка и актриса. Здесь нужен композитор, как Исаак Дунаевский. У нас есть такие?

— Есть. Пахмутова. Гладков. А вот актриса. — Стасик показал на Лару.

Шубин ухмыльнулся скептически.

— Я сейчас приду, помою руки. — Лара вышла из-за стола.

— Зачем ей мыть руки? — удивился Стасик.

— В туалет пошла. Неужели непонятно? — объяснил Шубин и тут же без перехода подошел к главной теме: — Еще отдашь мне треть гонорара.

— За что? — не понял Стасик.

— За то, что я из твоей рукописи, из груды бумаги, сделаю фильм. Фильм — это смесь искусства с производством. Большая работа.

— Не понял. Мой сценарий напечатан в журнале «Искусство кино». Ты не принимал в нем никакого участия. Это исключительно моя работа.

— Тебе что, жалко? — удивился Шубин.

— При чем тут жалко? То, что ты предлагаешь, — несправедливо.

— Все режиссеры берут.

— Не все.

— Подумай сам: что тебе надо для написания сценария? Пачка бумаги, пишущая машинка и месяц времени, по три часа каждый день. А мне: год работы с утра до вечера, огромный коллектив, километры испорченных нервов и канистра крови, переведенная на воду.

— Ну ты же получаешь гонорар за режиссуру. Все эти канистры и километры хорошо оплачиваются.

— Ты тоже получишь шесть тысяч рублей, — сказал Шубин. — Отдашь мне две. Останется четыре. При этом тебе ничего не надо делать. Четыре тысячи — машина «Победа». «Победа» за ничегонеделанье.

— А шесть тысяч «Волга», — сказал Стасик.

— «Волга» хуже «Победы», бензина много жрет.

Подошла Лара. Села.

Шубин решил привлечь Лару к беседе:

— Вот мы тут спорим, что важнее — сценарий или режиссура?

— Конечно, сценарий, — сказала Лара. — В начале было слово.

— Кто сказал? — спросил Шубин. — Где это записано?

— В Библии, — ответила Лара.

Стасик удивился, что актриса детского театра знает Библию.

— Ну ладно, я пойду, — решил Шубин. — Так ты согласен?

— На что?

— На тридцать три процента.

— Ты же сказал треть.

— Сто процентов делим на три, будет тридцать три и три десятых.

Стасик подумал: «Победа» тоже хорошо, тем более за ничегонеделание, ведь сценарий уже был, а что касается фильма, то его можно не смотреть и на вопрос знакомых: «Тебе понравилось?», можно ответить: «А я не смотрел».

— Согласен, — ответил Стасик.

— Значит, договорились...

Шубин снял со стула свою курточку и ушел, одеваясь на ходу.

Стасик долго молчал. Думал: режиссер и сценарист — это общий вальс, общее чувство, это общий духовный ребенок. А здесь — торговля как в борделе. Тридцать процентов, тридцать три процента, тридцать три и три десятых процента...

Стасик решил отбросить мусорные мысли, сосредоточиться на Ларе. Со своей короткой стрижкой она была похожа на мальчика-подростка. Большие глаза, трогательный профиль, чистая душа.

Чистая душа каким-то образом считывалась с ее облика.

Стасик взял такси и проводил Лару домой.

Лара пригласила Стасика на чай. Он боялся, что у Лары комната в коммуналке, тогда надо было бы идти по длинному коридору мимо общей кухни. И все обитатели кухни побросали бы свои дела и вывернули голову в сторону проходящего мужчины, а именно Стасика. Такое часто бывало в его практике, и, когда шел под этими брезгливыми взглядами, казался себе голым, позорным и отвратительным. Все на кухне понимали, что вот идет прелюбодей, грешник и сукин сын. При этом — немолодой, частично лысый и частично пузатый. Не хотелось быть поводом для грязного воображения.

Лара, слава богу, жила одна. Ни соседей, ни родителей, ни мужа, ни детей. Одна.

Квартира была очень чистая, дом — фундаментальный, с толстыми стенами. Не то что современные блочные строения, сложенные из плит, проклеенные смолой по наружным швам. Убожество и уродство.

Стасик часто думал, что в случае землетрясения хватило бы одного хорошего толчка, чтобы все эти современные строения сложились как карточные домики. Хорошо, что Москва расположена не в сейсмической зоне.

— Хороший дом, — сказал Стасик, оглядываясь.

— Немцы строили, — ответила Лара.

После войны пленные немцы отстраивали Москву. Им было мало пройти войну, затеянную Гитлером, они должны были и дальше бултыхаться в долгом рабском труде. Но дело прошлое. Война кончилась сорок лет назад.

Лара ушла на кухню заваривать чай. Стасик позвонил Лиде.

— Я сегодня не приду домой, — сказал он. — Я у режиссера, за городом, мы работаем. Тебе его позвать?

— Зачем? — спросила Лида.

— Удостовериться, что я не вру. А если хочешь, я вернусь домой. Но это будет не раньше четырех утра.

— Ни в коем случае, — испугалась Лида. — Сейчас в электричках столько хулиганья. Обворуют и убьют. Сиди и работай. Главное — предупредил. Я не буду волноваться.

Стасик повесил трубку. С облегчением выдохнул. Он привык врать и врал легко, но все-таки от вранья его тело как будто покрывалось липкой испариной и хотелось встать под душ.

Вошла Лара с подносом. На подносе стояло несочетаемое: графинчик водки, белый хлеб и вазочка с вареньем.

— Ты сама варишь варенье или покупаешь готовое? — спросил Стасик.

— Мама закатки делает. Она каждое лето уезжает в деревню на промысел, привозит оттуда сто банок варенья и наволочку сухих грибов. И даже сама закатывает говяжью тушенку. Хватает на всю зиму.

На стене висел портрет мамы. Взгляд царицы.

— Она сильнее тебя, — сказал Стасик.

— Я рядом с ней стебель, — ответила Лара. — Вырожденка. В папашу.

— А папаша вырожденец?

— В какой-то степени. Как Некрасов. Отец — барин, а мать — дворовая девка.

— На самом деле? — удивился Стасик.

— А что такого? Он мог умереть десять раз: в тридцать седьмом во время чистки, в сорок первом — он прошел всю войну, в пятьдесят втором во время космополитизма. Но представьте себе, он жив. И это счастье. Маме есть кого ругать. Ей необходимо спускать на кого-то собак, спускать пар, иначе она взорвется. Но вообще, они хорошо живут. За меня переживают. Я — их единственная радость и боль. Вот так..

случайная связь

Стасику стало неудобно. Неведомые родители хотели для своей дочери стабильного счастья, полноценной семьи. А что он ей мог предложить? Случайную связь на месяц. На два… Дальше женщины начинали хотеть большего, начинали задавать вопросы. И вот тогда надо делать ноги. Смываться, иначе самого засосет. Разлука — это всегда боль, страдания. Но и страдания — тоже материал для творчества. В его профессии все шло на продажу, даже самое святое. Такая профессия.

Стасик остался на ночь.

Он спал укрытый покоем и какой-то неизъяснимой нежностью. Чистая душа, неопытное доверчивое тело…

Утром он проснулся ясным, молодым, без привычной копоти на душе. Как правило, после греха на него опускалось возмездие. А тут — никакого возмездия, как будто не было никакого греха.

Пили кофе с тостами. Подсушенный хлеб с земляничным вареньем. Французский завтрак.

Потом расстались. Ларе надо было ехать в театр на репетицию. А Стасику — возвращаться в свою привычную жизнь.

На другой день созвонились. Лара отчиталась о своем прожитом дне. В театре репетировали пьесу «Последний патрон» пожилого и бездарного драматурга Шермана. Актеры называли эту пьесу «Последний пистон». Видимо, пьеса была плохая и плоская — соцреализм.

К этому времени появились молодые творцы, предложившие другой уровень правды, ранее неведомый. А время шерманов кончилось, и шерманы выглядели так же нелепо, как динозавры — с гигантским туловищем и маленькой головой. Травоядные при этом. Кому они нужны?

Стасик сказал Ларе, что ничего не делал весь день. Не хочется. Он только что окончил двухсерийный сценарий, и у него послеродовая депрессия. Ему кажется, что он больше ничего не напишет.

— Тебе надо отдохнуть, — посоветовала Лара.

Стасик купил путевку в Дом творчества под Ленинградом. А через неделю к нему приехала Лара. В качестве подарка она привезла трехлитровую банку соленых белых грибов и индийскую книгу Камасутра. Что-то вроде самоучителя. Там было описано сорок или даже шестьдесят сексуальных позиций.

Лара и Стасик принялись штудировать Камасутру. Каждый день — новая позиция. Им мешало несерьезное отношение к делу. Большую часть времени они хохотали, а смех убивает чувственность. Какой может быть оргазм, когда хохочешь...

В общем и целом стало ясно, что Камасутра — для спортзала. Это своего рода гимнастика плюс акробатика, кому она нужна. В конце концов они остановились на самой простой и удобной позиции. Так, наверное, любили друг друга наши деды и бабки, барские дети и дворовые девки.

Лара отдавалась Стасику — вся, без остатка, а потом засыпала, угнездив свое лицо на его плече, где-то под ухом. Струйка ее дыхания щекотала шею. И опять он проваливался в покой и нежность, и не хотелось думать о том, что будет дальше.

А дальше срок пребывания кончился. Они вернулись в Москву.

Стасик ходил к Ларе каждый вечер. И как бы ни был труден его день, он знал, что в конце этого дня его ждет светлая комната, сияющая чистотой. И такая же Лара — для всех незаметная и незначительная, а для него — сияющая чистотой души и тела.

С собой он ее никуда не брал. Не хотел обнародовать их отношения. Не хотел, чтобы это дошло до Лиды.

Лара все понимала и терпела. Она была счастлива тем, что имела, что было только ее.

«О, если б навеки так было», — как поется в романсе. Но Стасик знал, что вечно так продолжаться не может. Любовь не стоит на месте. Она зреет и растет, как плод в утробе. И, в конце концов, должна либо родиться, либо погибнуть.

Иногда Стасик брал билет в кино на последний сеанс. Они сидели плечико к плечику. Лара всовывала свои узкие пальцы в его руку, и опять — нежность и щемящее чувство, как будто это была рука его невзрослой дочери. Стасик в темноте сжимал ее хрупкие пальцы. Подносил к лицу. Целовал неслышно каждый палец. Буквально «Дама с собачкой».

Стасик опасался взглядов посторонних. Что подумают люди: старый седой мужик ведет себя как влюбленный юноша. Это было правдой: и первое, и второе. И старый, и юноша.

Шила в мешке не утаишь.

Лида узнала. Кто-то донес. Кто-то видел их вместе.

Лида не скандалила, но по ее лицу ходили тени. Иногда она шумно выдыхала, сложив губы трубочкой. Не хватало воздуха. Сердце.

Стасик это видел и угрызался совестью. Лучше бы она скандалила. Тогда можно было бы поругаться, обменяться мнениями в воспаленной форме. Было бы легче, как после грозы.

Но Лида замкнулась, и Стасик за нее боялся. Выяснять отношения у них было не принято. Лучше промолчать. Потому что если начать копать, то можно докопаться до песка, на котором уже ничего не растет.

Стасик стал пропускать свидания. Лара стала трезвонить по телефону. Стасик снимал трубку:

— Я перезвоню.

После чего надевал куртку и брал за поводок собаку. Говорил Лиде:

— Я пойду погуляю.

— Звони из дома, — отвечала Лида. — Я сама погуляю с собакой.

И уходила. Стасик набирал Лару и умолял:

— Не звони домой. Мы же договаривались...

— Но ты обещал прийти, мы тоже договаривались... Ты тоже не держишь слово. Почему тебе можно, а мне нельзя...

Это был шантаж.

Стасик сменил номер телефона и исчез. Растворился в пространстве. Случайная связь окончилась. Он ее прекратил насильственным путем, волевым решением. Самоустранился.

Ему не хватало Лары. Очень часто хотелось все бросить и бежать к ней. Сидя на худсовете, он слушал вполуха, и вдруг к горлу подступала тоска. Он сидел и слушал какую-то собачью чушь вместо того, чтобы любить и быть любимым. Что может быть важней? Какая разница, что думает о его сценарии редактор Госкино. Кто она такая вообще? Жена какого-нибудь высокопоставленного чиновника, который лижет зад этой власти? И она вместе с ним. А он, Станислав Костин, положивший жизнь на свою профессию, свое призвание, должен сидеть тут и слушать... Он начинал разглядывать то, что происходит за окном. А за окном по зеленой траве бегала черная дворняжка, и эта дворовая собака казалась значительнее и умнее слов редакторши.

Лара...

А ночью он просыпался от одиночества и сиротства. Одолевали мысли: кому нужна его преданность Лиде? Только Лиде и еще Костику в Америке. Но у Костика своя такая яркая жизнь... Ну, поплачет Лида. И Костик поплачет. А он, Стасик, в это время будет репетировать Камасутру. На их слезах. Это невозможно. Лучше пусть плачет он, Стасик.

И он плакал. Тихо, беззвучно, не меняя дыхания. Вдох — выдох. Вдох — выдох... Машина работает. Жизнь продолжается.

Прошел месяц. Стасик не звонил Ларе. Спрятался в новую рукопись. Он работал каждый день с утра до вечера, своего рода литературный запой. К литературному он добавлял натуральный, алкогольный. После возлияний на другой день чувствовал себя отвратительно. Это тоже помогало. Ничего не хотелось и никого не надо. До уборной бы дойти.

Шубин заканчивал режиссерский сценарий. Ему требовалась помощь сценариста.

Стасик приходил к нему домой, поскольку Шубин жил неподалеку, пару остановок на троллейбусе.

Квартира была маленькая, однокомнатная. Шубин сделал из кухни спальню, а кухню засунул в прихожую.

По квартире можно было легко понять все пристрастия Шубы. Кроме секса, его, похоже, ничего не интересовало. Кровать занимала все пространство. Еды никакой и никогда. Он угощал Стасика самодельными сухарями и пломбиром за сорок восемь копеек. И сам ел это же самое.

Шуба подолгу говорил по телефону. Стасик ждал. Ему было скучно.

Шуба хотел, чтобы героиня фильма работала уборщицей в городском туалете и во время работы грезила наяву. Представляла себя кинозвездой.

Стасику казалось, что такая драматургия — киношка, дешевка и вчерашний день.

Но не будет же Стасик воспитывать Шубу. Он уже большой мальчик, сорок лет. В этом возрасте сыновей в армию отправляют.

— Так чего? — спрашивает Шуба.

— А что ты хочешь?

— Плавный переход. Как из яви в сон, из сна в явь.

— Ну так и сделай.

— То есть... — не понимал Шуба.

— Ну вот она моет унитазы и засыпает, — советует Стасик.

— Над унитазом?

— Можно над раковиной. Или над ведром. Изображение затуманивается... Горящая люстра... Зал...

— Действительно... — удивляется Шуба. — Как это я не догадался...

Звонит телефон. Шуба берет трубку.

— Приезжай лучше ко мне, — говорит он. Слушает. — А ты надень теплую шапку.

Стасик догадывается: девушка вылезла из ванной и не хочет ехать с мокрой головой. Боится простудиться. Зовет к себе. А Шуба не хочет тратить деньги на такси. Не хочет вставать с дивана. Зазывает к себе.

— У меня есть для тебя сюрприз, — заманивает он.

Сюрприз — это сухари из черного хлеба и мороженое пломбир. Шуба — хитрый и выгадывает. Никакой любви, сплошное потребительство. Секс на халяву.

И что он, Стасик, здесь делает, в этой меблированной комнате...

— Я пойду. — Стасик встал.

Шуба закрыл трубку ладонью, девушка на том конце провода не должна слышать посторонних голосов, иначе она не приедет и впереди пустая ночь.

— Ты все понял, да? — спросил Стасик.

Шуба торопливо покивал головой: понял, понял, иди.

Стасик вышел на улицу. Решил пройтись до дома пешком. Продышаться. Зачем ему этот фильм? Этот хвост у лошади... Славы он не прибавит. Единственно, машина «Победа». Ну что ж, люди из-за денег моют туалеты. А он всего лишь сидит в обществе Шубы и ест черные сухари. Тоже работа. Работать не стыдно, стыдно воровать.

Стасик подходил к своему подъезду. От стены дома отделилась женская фигура. Это была Лара. Подкараулила. Выследила. Откуда-то узнала адрес.

— А что ты здесь делаешь? — растерялся Стасик.

Его охватили противоречивые чувства. Радость и страх. Беспокойство.

— Ты исчез, как сквозь землю провалился. Я подумала: может, ты заболел, попал в больницу? Но ведь и из больницы можно позвонить. Я ничего не понимаю. Я решила прийти и спросить. Ты меня бросил?

Стасик молчал. Она ждала.

— Понимаешь, Лара... У нас нет будущего. Я свою жизнь изменить не могу. А это значит, я просто ворую твое время. Ты молодая и еще можешь устроить свою жизнь. А я путаюсь у тебя под ногами...

— Ты меня любишь? — прямо спросила Лара.

— Это ничего не решает. Любовь — это не слова, это поступки. А поступка не будет.

— Но почему?

— Потому.

— Это не объяснение.

— Другого не будет.

— Значит, все?

Стасик молчал.

Лара повернулась и пошла. Стасику показалось, что это душа уходит от его тела. Удаляется. И сейчас исчезнет.

— Лара! — позвал он.

Она продолжала идти.

Он побежал следом, догнал, схватил за руку.

Она плакала молча.

— Лара, послушай...

— Ты все сказал, я все поняла. Я больше не буду стоять возле телефона и ждать звонка.

— Лара, ты должна меня понять. Я все время боюсь твою маму. Мне кажется, она позвонит и скажет: «Вы мерзавец. Я не позволю вам пользоваться моей дочерью, как дворовой девкой».

— Что за ерунда. При чем тут мама?

— Но ведь она знает о моем существовании...

— Ты дрожишь, — заметила Лара. — Ты замерз?

— Я давно замерз.

— Хочешь, зайдем ко мне. У меня сегодня жареная картошка с грибами. Простимся по-человечески.

— Я не пойду.

— Да не бойся. Просто так посидим.

Остановили такси. Доехали очень быстро.

Лара промыла соленые грибы в проточной воде, а потом поджарила их с лучком и картошкой. Кухня наполнилась восхитительными запахами. Стасик ел прямо со сковороды. Он ел вдохновенно, как если бы слушал хорошую музыку.

Лара смотрела на него, подперев по-бабьи щеку ладошкой. Стасику хотелось ее прижать, согреть. Стасик потянулся к ней руками, лицом, всем своим существом.

— Не надо, — грустно сказала Лара.

— Спать не будем, просто так полежим, — пообещал Стасик.

Они легли и какое-то время лежали просто так. У обоих было чувство, что после кораблекрушения их вынесло на берег. Под телом твердь. В легкие втекает свежий воздух, впереди жизнь, много-много дней, и какие бы они ни были — это все равно жизнь.

— Стах, — проговорила Лара.

— Так меня никто не звал... Красиво.

— Лучше, чем Стасик-тазик.

— Лучше.

Надо было вставать и идти домой, но не было ни сил, ни желания. И он остался на всю ночь. Успел подумать, что не позвонил Лиде и ничего не наврал. Но не хотелось звонить и врать. Не хотелось засорять пространство ложью. Хотелось дышать Ларой, правдой и любовью. И никаких примесей.

— Знаешь, какая у меня фамилия?

— Костин, — сказала Лара.

— Борщ.

— Что борщ? — не поняла Лара.

— Фамилия. Я пришел в редакцию, а редакторша говорит: «Вам надо взять псевдоним». Я удивился: какой еще псевдоним? А она: «У вас есть дети?» — «Сын. Костик». — «Вот и хорошо. Будете Костин. Станислав Костин. Борщ — это не серьезно». Я так и напечатался. А потом привык.

— Тебе идет, — сказала Лара. — Костин лучше, чем Борщ. Ты же не украинское блюдо.

Стасик не ответил. Желание захлестывало их, как волной. Противостоять было невозможно, да и бессмысленно.

Волной любви их снова смыло в океан, и главное счастье состояло в том, что никуда не надо торопиться. Так было, так есть, так будет. Как вселенная.

Две недели Лара выжидала. Надеялась, что Стасик передумает и вернется к ней в любом качестве. Не отрекаются, любя, как поется в песне. Но, оказывается, отрекаются, и еще как.

Стасик снова пропал. Лара не могла понять: как можно испытывать и демонстрировать такую страсть, а потом исчезнуть с концами. Был и нет. Как корова языком слизала.

Лара больше не стала его искать. Терпела. Решила начать новую жизнь и даже пошла в парикмахерскую, покрасила волосы на тон светлее.

Она сидела в парикмахерском кресле перед большим зеркалом, когда вдруг почувствовала дурноту и увидела в зеркале свое лицо — белое как стена. Заключительный аккорд любви — беременность. Как обычно. Но для Лары это было необычно. Первая беременность. И она решила ее сохранить, оставить ребенка. Бог послал —

надо брать и благодарить. Спасибо тебе, Господи. Спасибо тебе, Стах...

Мама Лары, Ольга Степановна, узнав новость, спросила:

— А кто отец?

— Первый встречный, — сказала Лара.

— Артист?

— Вроде того.

— А где ты его зачала, в кулисах?

— Какая тебе разница? — спросил отец Лары. — Это твой внук, и остальное не имеет значения.

— Что значит — какая разница?

Брови Ольги Степановны зловеще выгнулись. Надвигался ураган «Оскар». В Америке всем ураганам дают имена.

— Даже если бы Лару изнасиловал солдат-чукча, мы сказали бы ему спасибо.

— Мы открутили бы ему яйца, — поправила Ольга Степановна.

Лара поняла: она правильно сделала, что скрыла Стасика. Мать взбила бы бешеный коктейль: явилась к Стасику домой, устроила бы допрос с пристрастием, написала бы обличительную бумагу в Союз кинематографистов — такая была практика в ее времена.

— Но он хоть знает? — добивалась Ольга Степановна.

случайная связь

Ей было обидно за дочь. И за себя. Столько сил и надежд было в нее вложено. И что получилось? Неудавшаяся актриса, мать-одиночка без материальной поддержки. Слезы.

— Он хоть знает? — спросила Ольга Степановна.

— Узнает, — неопределенно пообещала Лара.

Разговор происходил по телефону. Станислав Костин окаменел, услышав новость. Потом твердо сказал:

— Нет, нет и еще раз нет.

Недопустимо, когда твой ребенок, твоя кровь, где-то бегает сам по себе. Безотцовщина. У него уже есть сын, в Америке. А у сына — сын и дочка. Двое внуков. Бессмертие обеспечено. Жизнь не прошла мимо. Его душа продолжала жить в книгах, его плоть продолжалась во внуках.

Прошли положенные девять месяцев.

Ребенок вызрел в утробе и родился благополучно. Стасик узнал, где рожает Лара и когда она выписывается.

Он пришел к роддому. Стоял в стороне и смотрел на дверь.

Лару встречала маленькая толпа — актеры, родители. Стасик их стеснялся и побаивался. Держался подальше, ждал, что кто-то подойдет и что-то скажет. И будет прав.

Отворилась дверь. Вышла крупная тетка в халате. Нянечка. За ее плечом маячило счастливое личико Лары.

Стасик приблизился. Нянечка вручила ему драгоценный сверток.

— Да, да и еще раз да, — отчеканила Лара. Запомнила.

Никто ничего не понял, кроме Стасика.

Виртуальный ребенок стал фактом. У Стасика появилась новая материальная нагрузка. А у Лары — смысл жизни.

Ольга Степановна вела себя корректно. Яйца не откручивала. В конце концов, у нее тоже появился дополнительный смысл. Внук. Ребенок — это не только счастье, но и большой труд. Перегрузки, как у космонавта. Но всякое серьезное дело требует серьезных усилий.

Мальчика назвали Алешей.

Беленький и большеглазый, он был похож на ангела с пасхальных открыток.

Три времени года Алеша жил у бабушки с дедушкой. А на лето вместе с мамой и папой выезжал на дачу. Стасик снимал хороший дом в хорошем месте и проводил со своей побочной семьей все летние месяцы.

Лида, само собой, все знала.

Сначала она бесилась, но постепенно успокоилась. Стасик уходить от нее не собирался. Дело в том, что ему было удобно работать в своей комнате, за своим столом. Это была его точка на земле. В этой точке у него хорошо работали мозги, его тянуло к перу, перо — к бумаге, «минута — и стихи свободно потекут». Лида за стеной не мешала, а даже наоборот — уравновешивала. Все было на своих местах.

А у Лары он работать не мог. У него не было там своей комнаты. Не было тишины. Алеша постоянно вопил, что-то ронял, ползал на четвереньках и тянул в рот все, что находил на полу. Лара всякий раз умирала от страха, что Алеша проглотит микроб, и лезла ему в рот. Одновременно Лара умирала от любви к Стасику и осыпала его поцелуями. Она его приучала, приручала и надеялась, что однажды, в один прекрасный день, Стасик купит ей золотое обручальное кольцо. Да хоть и медное — не важно. Главное — обручальное. И тогда можно будет накрыть стол, позвать весь театр, всех соседей, всех родственников и предстать в новом статусе: законная жена великого Костина, а не «профурсетка», как звала ее соперница Корявая Лида.

Лида, кстати, привыкла к этой кличке: Профурсетка. Она прилипла к Ларе, как имя.

Подруги заходили в гости, спрашивали:
— А где Стасик?
— У Профурсетки, — спокойно отвечала Лида.
— А ты не боишься, что он уйдет?
— Не боюсь. Хотел бы уйти, уже ушел бы.
— А чем ты его держишь?
— Тем, что не держу.

Общественное мнение разделилось. Одни жалели Лиду, другие злорадствовали, дескать, Корявая Лида села не в свои сани, пора вылезать.

Лида втайне надеялась, что развязка будет в ее пользу. Стасик заведет себе другую профурсетку, как это бывало прежде, или просто постареет, и проблема отпадет сама собой. Старость — это была единственная реальная сообщница Лиды. И Лида ее ждала.

Лето было жаркое, в Москве плавился асфальт. Решили задержаться на даче до октября.

Стасик и Лара любили сидеть вечерами на деревянном крыльце. Это были хорошие минуты. Алеша спал, сомкнув реснички. Чистый ангел. Небо в звездах. Яблоки падали с деревьев, глухо стукались о землю. В ногах лежала собака Козырь — благородное существо. Стасик и Лара сидели молча. Внимали.

случайная связь

Природа, покой и душевная близость — что еще надо?

В это лето они были близки как никогда. Ларе казалось, что это начало их новой жизни. Она не представляла себе, что Стасик может вернуться к прежней жизни двоеженца.

В ноябре возвратились в город.

Стасик уехал к Лиде. Два раза в неделю навещал Лару: вторник и пятница.

У Стасика скопилось много литературных долгов. Сроки поджимали. Костин был востребованный драматург, его буквально рвали на части. Все театры хотели заполучить именно Костина с его темой справедливости и сострадания к людям.

В своем творчестве Стасик был нежен и раним. А в жизни — жестокий, твердый, эгоцентричный. Оберегал свою независимость. Независимость была ему необходима для того, чтобы творить. Он хотел сочинять и сочинял. И ничего не было для него интереснее, чем сесть за стол и из ничего создать свой мир. Как Господь Бог: из ничего сделал Вселенную и человека.

Результаты Костина — не Вселенная, конечно. Только рукопись. Но пока сочиняет — он бог. И все остальное — это сопутствующий товар.

Творец, как беременная женщина, прислушивается к себе, к тайной жизни плода, который зреет в нем. А потом рождается в виде книги, картины или симфонии. А далее — послеродовая депрессия, когда ничего не хочется. Почва истощена, как после урожая. Нужен перерыв. Период накопления.

Стасик в эти периоды был вялый, равнодушный ко всему. Таскался по гостям. Пил. Играл в карты.

Лара не хотела мириться с новыми обстоятельствами. Все лето вместе, как попугайчики-неразлучники. Дачные соседи восхищались и завидовали: какая любовь... Кое-кто знал, что на заднем плане существует Корявая Лида. Но все воспринимали совместное дачное проживание как начало новой жизни. И сама Лара так воспринимала. Она не хотела вникать: творец или не творец. Мужчина должен отвечать за свои действия, совершать поступки, независимо от того — творец он или водопроводчик.

Лара начала обижаться. Требовать. Скандалить.

Стасик стал избегать скандалов, а именно сократил посещения.

Лара стала преследовать его звонками. А однажды выследила, как детектив, путем наружной слежки и накрыла его в кафе Дома литераторов.

случайная связь

Она вошла в зал. Стасик сидел в мужской компании. Женщин там не было.

Лара вдруг заробела и села за свободный столик.

Стасик увидел ее. Подошел. Все понял и вызверился. Орать он не мог, все-таки общественное место, но лицо стало свирепым, глаза вылезли на лоб. Он ненавидел всякое насилие и принуждение. Он не позволял, чтобы его контролировали, шантажировали. Он слишком далеко впустил ее в свою жизнь.

— Я так больше не могу, — пролепетала Лара.

— Чего ты не можешь?

— Я не могу так жить.

— Живи по-другому. Без меня.

Лара заплакала, скрючив лицо.

— Я тебе что-то обещал?

Лара плакала. На них начали обращать внимание.

— Я тебе ничего не обещал. Ты сама, все сама, и родила сама. А теперь стала ногой на горло и требуешь. Ты не имеешь права требовать.

Стасик говорил почти шепотом, но он кричал. И от этого беззвучного крика стыла кровь.

Подошел Шубин. Он был сильно навеселе. Узнал Лару.

— Идемте к нам, — позвал Шубин.

— Она занята, — ответил Стасик. — Ей надо идти домой.

Стасик отошел не попрощавшись.

Лара поднялась и пошла к выходу.

Стасик напился в этот вечер. Он осознавал, что был неоправданно груб. В какой-то степени — скотина. Но с Ларой по-хорошему нельзя. Она будет добиваться своего не мытьем, так катаньем. И добьется. И тогда старший сын отречется от отца. И внуки отплывут к другим берегам. А Стасик был силен именно сыном и внуками. Это были его ветки. А что за дерево без веток? Новый мальчик Алеша вызывал у Стасика тревогу, у них разница пятьдесят лет. Это почти правнук. Стар Стасик для отцовства. Что можно с него взять? Деньги. И он готов платить, и более того — хочет платить. Новый мальчик не будет нуждаться ни в чем. Надо заработать на настоящее и будущее. А для этого надо работать. Стасик готов работать и хочет работать. Замыслы толпятся, прорываются, как футбольные фанаты. Мысль просится к перу, перо к бумаге, и так далее...

Лида пригласила к себе родную сестру Клаву. Пожить вместе. Создать хоть какую-то видимость семьи, дома.

Стасик шастал туда-сюда. Лида никогда не знала: придет ночевать или не придет. Не могла привыкнуть, переживала.

С приездом Клавы жизнь стала более человеческой. Они вместе вели хозяйство, ходили на базар, варили борщик, смотрели телевизор.

К Стасику перестали обращаться по имени. Обращались так: «Ты бы...»

«Ты бы достал кофе, у нас уже целый месяц нет кофе». Или: «Ты бы заменил электрическую лампочку в прихожей, перегорела».

«А ты не можешь заменить?» — спрашивал Стасик.

«Я боюсь влезать на табуретку, — отвечала Лида. — У меня кружится голова».

За окном лил проливной дождь. Стасик собирался в театр на читку пьесы.

— Ты бы взял зонт, — предложила Клава.

— Не надо, — запретила Лида. — Он его все равно где-нибудь оставит.

— Но он промокнет.

— Промокнет, — соглашалась Лида. — Потом высохнет. Не растает.

Стасик уходил под проливной дождь. Он не бастовал против такого отношения. Он чувствовал свою вину перед семьей и смиренно переносил неуважение. Для других он был — редкий человеческий экземпляр, со звездой во лбу. Но дома... отбракованный товар, как перегоревшая лампочка. Лида демонстрировала свое пренебрежение, и все же... их связывало нечто необъяснимое. Может быть, даже трусость остаться друг без друга.

Лара страдала и приспосабливалась как могла. Она ушла с работы, забрала Алешу от дедушки с бабушкой. Полностью окунулась в материнство.

Стасик приходил два раза в неделю. Она лепила ему пельмени, которые он любил. Готовилась к его приходу как к празднику.

Каждый человек несет в себе восемь вольт. У Лары, вернее, в Ларе это были восемь вольт любви, обожания и восхищения. Она не притворялась. Стасик казался ей роскошным, как ковбой, американ бой.

Актрисы из театра знали, что Костин имеет способность соскакивать с романа. Вначале крутит прилюдно, у всех на голове, а потом соскакивает. Это его фирменный знак. Но Лара не верила. Он соскакивал, потому что не любил. А здесь он любит, здесь у него ребенок. Ребенок — это совсем другая история. Стасик никуда не денется.

Стасик увязал в своей побочной семье. Он уже приводил к ней друзей. Зимними вечерами играли в карты. Лара цвела — подавала, убирала, и все это было ей в радость и казалось началом новой жизни.

Но... Прошла зима, и еще одна зима, и еще одна зима — а воз и ныне там. Лара страдала и заливала страдание чем придется: вином, водкой, коньяком, а иногда всем вместе.

Мать Лары, Ольга Степановна, часто заставала такую душераздирающую картину: позднее утро, практически день, Алеша сидит в пижамке на маме и пытается раскрыть ей глаза. Приговаривает: «Мама, открой глазы». Но у Лары депрессия. Она не хочет открыть глазы и начинать новый день, еще один день в этой фальшивой, лживой жизни.

Ольга Степановна родила свою дочь для счастья, а не для того, чтобы ею пользовались, мучили и мызгали. Она бы оторвала этому Костину яйца, но опасалась конфликта. Костин оплачивает содержание Алеши и Лары, и отказаться от его денег — значит провалиться в нищету. Костин платил. А ведь мог и не платить. Значит, он не окончательный мерзавец. Просто сукин сын.

На что можно рассчитывать? Только на то, что Лида помрет.

Но Лида умирать не собиралась. Значит, Ларе остается стареть в любовницах, медленно спиваться и сидеть тихо.

Можно было, конечно, найти себе другое применение, но Лара умела только любить, и больше она не умела ничего. Умение любить — бесценный дар. Но в данном случае этот дар работал против нее. Так бывает.

Надвигался Новый год.

Лида требовала, чтобы Стасик оплатил столик в Доме кино. Там собиралась вся творческая интеллигенция. Зал вмещал в себя триста человек. Пусть все увидят Костина с женой и заткнутся.

Вообще-то творческой интеллигенции было плевать: с кем придет Костин, с женой или с любовницей. Не плевать было только Лиде и Ларе. И Стасику, разумеется. Он хотел остаться дома, встретить Новый год с Лидой и Клавой, в двенадцать часов поднять бокал с шампанским, прослушать бой курантов, а потом, через часок, смотаться к Ларе с бутылями и новогодними подарками. Так было каждый год, очень удобно. И волки сыты, и овцы целы. Не совсем, конечно, сыты волки. И овцы тоже с ободранным боком. И все-таки... Лара получала Стасика на целую новогоднюю ночь, на целую телевизионную программу и на весь следующий день. Можно поздно встать. Можно вообще не просыпаться, проваляться в кровати весь день. Это счастье.

Говорят, что северное сияние образуется из множества вольт, принадлежащих людям. Лара будет рядом с любимым, и в комнате будет искриться их личное северное сияние.

Стасик согласился на Дом кино, какая разница, откуда сбегать. Но сбежать не удалось. Неудобно было бросать Лиду и Клаву. Как-то уж совсем по-свински оставить двух близких и пожилых людей. К тому же набралось много знакомых, было весело. Бродили между столиками, братались, танцевали под оркестр.

Было много красивых женщин. Стасик ходил по залу, высматривал по привычке. У него был наметанный глаз бабника, и он высматривал стоящий экземпляр, даже если ему это не было нужно.

Нашел чью-то дочку. Пригласил танцевать. Двадцатилетняя пацанка улыбалась во весь рот. Какие белые зубы, какая тонкая талия, какое легкое дыхание, как жаль, что все это цветение не для него.

Пацанка не выражала пренебрежения, осталась в его руках на следующий танец. Как она двигалась…

Подошла Клава и сказала:

— Если ты не пригласишь Лиду танцевать, я устрою тебе скандал.

Стасик оторвался от девушки. Подошел к своему столику. Лида сидела с глазами полными слез. Обижалась.

Стасик пригласил ее танцевать. К счастью, это был медленный танец. Танго.

Стасик положил руку на ее спину, позвоночник никак не ощущался. Это был изношенный столб, скрытый под мышечной массой. Но он жалел свою Лиду.

Для молодых сексуальный контакт кажется главным и определяющим. Но они ошибаются. Любить душой — не меньше, чем телом. И отодрать человека от тела легче, чем от души.

Новый год пел и плясал почти всю ночь.

Стасик вернулся домой под утро и решил не ездить к Ларе. Он устал.

Стасик понимал, что Лара устроит ему разборку. Опять придется выслушивать трагедии. Она опять начнет требовать, чтобы Стасик ушел от Лиды, переехал к ней, расписался в загсе. А он не знал, как подействует на него разрыв с Лидой. Может быть, он не сможет больше писать вообще. Может быть, все его рукописи на столе покажутся кучей хлама.

Когда Стасик работает, он идет на погружение, как подводная лодка. А какое может быть погружение у Лары?.. Она через каждые полчаса целует его в макушку, талдычит про любовь. Нужна не любовь, а глубинный покой. Любовь мешает.

Под Ленинградом проходил семинар. Стасик решил уехать на неделю, исчезнуть бесследно.

Лара испугается, что он ее бросил. Ей будет не до разборок. Лишь бы вернулся. И тогда он вернется. И все будет продолжаться на его условиях. Он распустил Лару. Позволил ей сесть на шею. Надо снять с шеи, навести порядок в отношениях.

У Стасика был свой семинар, семь человек.

Двое — таланты, их ничему не надо было учить.

Двое — бездари. Эти не сомневались в своих способностях. Поразительно, но бездари ни в чем не сомневаются. И они необучаемы.

Две — молодые женщины. Одна — вертихвостка, искала себе счастья. Хорошенькая и способная. Если бы она вела себя иначе, то вызывала бы к себе другое отношение.

Вторая — талантливый маргинал. Она постоянно требовала и находила выгоду для себя: публикацию, стипендию. Ненавидела всех, и ее адекватно ненавидели все. Но писала — как никто. Новый уровень правды. Ее герои — бомжи и маргиналы, она была с ними созвучна.

Седьмой семинарист — середняк. Посредственность. Крепкое три. Он устраивал по вечерам милые застолья, тратил свои деньги. Широкий, обаятельный, красивый. Маргиналка не хочет быть милой, у нее есть талант, на общий стол она кладет свой талант. Хорошенькая — красоту. А середняк — цыплят табака и водку, то есть щедрость. И его берут в компанию.

Хорошенькая годилась на случайную связь, но Стасик не проявлял инициативы. Что-то мешало. Лара. Он исчез без объяснения причин. Не звонил с Нового года. А ведь она его ждала. Она ничего не поняла. Мечется, наверное, бьется головой о стену. И, конечно же, узнала о том, что он праздновал Новый год с Лидой в Доме кино и танцевал как козел. Все-таки он — скотина. Но и Лара тоже овца. Нельзя разрешать так с собой обращаться. Надо как-то противостоять. А как?

Семинар окончился. Пятеро были рекомендованы в Союз писателей. И маргиналка в том числе. И щедрый троечник.

Руководителям семинаров предложили остаться еще на три дня. Просто отдохнуть.

Стасик рвался уехать, но его отговорили, и он остался. Зашел поэт Огнев с бутылкой, и понеслось. Руководителями семинаров были: Огнев, Солнцев, Озеров. Настоящими фамилиями их были: Гуревич, Зельдович и Шапиро. Что касается Костина и Галина, это папа Костика и муж Гали.

Стасик любил своих коллег — каждого за свое, за талант и высокий профессионализм, но ему хотелось к Ларе. В сердце как будто торчала заноза. Он себя успокаивал, какая разница: сегодня, завтра... Один день ничего не решает.

Лара лежала посреди кухни мертвая.

Ее смерть — как бы продолжение диалога со Стасиком. Ты так, а я — так. Смерть — это был ее ход, подобный ходу жены Сталина. Сталин — так, а Надежда Аллилуева — так. Застрелилась. Отомстила.

Что произошло с Ларой — непонятно: она отомстила или просто умерла? У нее было больное сердце. Надорвала сердце, и оно не выдержало. Остановилось.

Последующее вскрытие постановило: она умерла от несовместимости двух препаратов. Она запила водкой то, что не совмещается с алкоголем. Это выяснится позже. А сейчас Стасик ходил вокруг Лары кругами, останавливался, вглядывался в ее лицо. Пытался понять — было ли ей больно, страдала ли она в свой последний час?

Лицо Лары было спокойным, разглаженным, слегка надменным. Казалось, она хотела сказать: теперь живи и радуйся. Без меня.

Стасик позвонил в скорую помощь. Приехали.

Откуда-то возникла тетка с похоронными услугами. Должно быть, скорая помощь была с ними в связке. Получала процент.

Услуги оказались неправдоподобно дорогие. Стасик заказал гроб класса «А», в каких хоронят президентов. Можно было и подешевле, но Стасику хотелось платить максимально.

Ночевать он поехал домой. К Лиде.

Лида испугалась, что Стасику придется отвечать перед законом. Существует статья: «Доведение до самоубийства». Но для этого надо, чтобы кто-то возбудил дело. Никто не возбуждал. Некому.

Ольга Степановна оказалась в больнице с обширным инфарктом. Отец Лары, Яков Григорьевич, вообще не борец. А подруги Лары не хотели взбивать горестный коктейль и тратить на это время. Суды продажные. Справедливости не добиться. И Лару не вернуть. К тому же непонятно: совмещение препаратов было случайным или намеренным? Многие считали так: зачем убивать себя? Убила бы его, Костина. Дура, хотя о покойниках плохо не говорят.

Все дальнейшее Стасик помнил кусками. Помнил кладбище. Пятилетний Алеша жался к ноге Якова Григорьевича. Яков Григорьевич часто моргал красными воспаленными веками.

Народу пришло неожиданно много. Маленькая толпа. Нарядный лакированный гроб. Лара — красивая, спящая, воплощенная жертва. Толпа плакала именно от жалости. Убили ангела. На старика с Алешей невозможно было смотреть.

Потом крышку гроба закрыли. Гроб опустили в могилу. Несколько человек бросили вниз горсть мерзлой земли. Молодой могильщик подбежал к коллеге, второму могильщику, тихо сказал ему: «Ельник». Второй ловко спустился в могилу и стал закрывать гроб еловыми ветками. Откуда взялись ветки, Стасик не заметил. То ли ветки уже лежали внизу, то ли их опустили сверху.

Закрыв гроб еловыми ветками, оба могильщика быстро и ловко забросали его землей. Работали они слаженно. Профессионалы.

Поминки проходили в Доме литераторов. В Дубовом зале.

Алеше здесь нравилось. Было тепло. Его все ласкали. Он не сидел за столом, а бегал по красивой лестнице вверх-вниз.

Стасик пил и напряженно думал: зачем могильщики закрыли гроб ельником? Чтобы не поцарапать землей? На лакированной поверхности царапины особенно видны. А зачем беречь гроб, если он все равно будет зарыт в землю... И вдруг его осенило: перепродать. Под покровом ночи выроют могилу, вытащат гроб, приведут в порядок и перепродадут в ту же похоронную контору. А Лару куда? Хорошо, если переложат в дешевый гроб. А могут и просто вытряхнуть в мерзлую землю.

В некоторых религиях хоронят без гробов, но ведь это могилы в другом климате. А здесь...

Стасик налил водку в фужер и выпил весь фужер. Водка действовала как наркоз, становилось не так больно.

Поминки миновали скорбную фазу, кто-то вспоминал веселые фрагменты из жизни театра. Сдержанно смеялись. Не ржали, но было весело. Лара любила веселиться, просто в последнее время она не находила поводов для веселья, зациклилась на одной идее, которая застила весь мир. Эта идея: Костин в полном объеме. А так ли он был хорош?

Подошел Алеша. Он громко вопил, широко распялив рот.

Стасик поднял его на колени, Алеша рассказал, что на лестнице образовался еще какой-то мальчик, который пнул Алешу ногой. Очень больно. Стасик посмотрел на лестницу. Там действительно стоял чей-то отпрыск и воровато поглядывал на Стасика. Ждал, что будет.

— Что ты хочешь? — спросил Стасик у Алеши.

— Побей его.

— Это невозможно.

— Почему? — не понял Алеша.

— Потому что он маленький, а я большой.

— Да?

— Ну конечно.

— А я могу его побить?

— Вряд ли. Он сильнее тебя. И нахальнее. Не связывайся.

— Да?

— Ну конечно. Есть люди, с которыми не надо связываться.

— Тогда он подумает, что он победил.

— Пусть думает, что хочет. Ты его забудь. Для него это самое обидное.

— Что именно?

— То, что ты его забудешь...

Алеша задумался. Стасик смотрел на его тонкое фарфоровое личико и подумал: он возьмет сына к себе. Он его вырастит, воспитает и поставит на крыло. Это единственное, что он может сделать для Лары. Ты так, а я так...

Лида оказалась корявая не только внешне, но и внутренне. Она невзлюбила Алешу.

У нее были свои причины. Первая: Алеша — плод предательства. Второе: этот ребенок вылез из чужого презираемого лона. В-третьих, он был как две капли похож на Профурсетку. Плебей.

Лида не желала находиться с этим бастардом (незаконнорожденным) в одном пространстве. Она постоянно требовала: «Иди в свою комнату и закрой дверь».

Алеша сидел в своей комнате тихо, как мышь, и не высовывался. Смотрел телевизор.

Клава, как ни странно, расположилась к ребенку, ходила с ним гулять. Водила в цирк и зоопарк. Алеша ее спрашивал:

— Ты в состоянии крепко стоять?

— А что? — не понимала Клава.

— Я сделаю тебе подсечку. Как ниндзя.

— А кто это?

Клава не знала, кто такие ниндзя. Серая женщина.

Лида не понимала Клаву:

— Как ты можешь любить врага?

— Какой он враг? Это же ребенок. И, в конце концов, он сын твоего мужа. Он на него похож.

Клава вонзала палец в раскаленную рану. Как она не понимала такие простые, такие очевидные вещи?

— Ты дура или притворяешься? — интересовалась Лида.

— Этот ребенок — сирота. Даже если бы я нашла его на улице, я бы его любила. А тем более — родная кровь.

— О господи! Да если бы я нашла его на улице, я бы тоже его любила. Но это — выблядок, понимаешь? Из чужой дырки.

— И что, он от этого хуже?

Сестры ссорились. Не разговаривали по три дня. Алеша боялся Лиду и за столом сидел тихо. Спрашивал у отца:

— Можно я возьму еще кусочек хлеба?

У Стасика обрывалось сердце.

— Бери сколько хочешь…

Лида распределяла еду неравноценно. Лучший кусок — Стасику, потом — себе, худший — наименее вкусный и самый маленький — Алеше.

Стасик видел это. Не делал Лиде замечания. Просто брал свою тарелку и ставил перед Алешей. А себе забирал его тарелку.

Лида кидала вилку, с грохотом отодвигала стул и уходила из комнаты.

Каждый вечер Стасик лично укладывал Алешу спать. Подтыкал одеяло подо все дырочки. Рассказывал сказку. Все, которые он знал, — кончились, приходилось сочинять на ходу. И он сочинял.

Алеша слушал. Однажды спросил:

— А мама больше не придет?

— Нет. Ее забрал боженька.

— Почему?

— Потому что она хорошая. А ему нужны хорошие люди.
— Но ведь мне она тоже нужна.
— Она тебя видит. Она нас не бросила.

Алеша молчал. К ушам сползали слезы.

Стасик вытирал своей крупной ладонью его мордочку.

— Не плачь...
— Когда я плачу, я потом крепче сплю.

После слез лучше спится.

Стасик целовал его и уходил к себе. Думал: «Вот, уже знает. С таких лет...»

Пришли девяностые годы. В стране происходили большие перемены.

Друзья звонили, спрашивали Стасика: «Как ты себя чувствуешь? Как живешь?»

Он отвечал: «Спасибо, нормально». А он себя не чувствовал. И не жил. Просто существовал.

Великий кинематограф тоталитарного государства исчез. Национальной идеей стали деньги. Миллион долларов — вот идея и мечта.

Большая государственная киноимперия раздробилась на частные киностудии. Возникло слово «продюсер».

Продюсерское кино не может быть произведением искусства. Для продюсера главное прибыль. Все подчинено прибыли.

Снимать стали все: мох, и трава, и Акулька крива. Были бы деньги. Станислав Костин не котировался в современном кино. Ему было уже под семьдесят. Пенсионер.

Талант от возраста не зависит, но тема зависит от возраста. Какая тема у пенсионеров? «Как молоды мы были, как верили в себя». Нафталин. Кому это надо?

Сейчас в ходу то, что всегда в ходу: секс, молодость, красота. А также убийства, кровь — это всегда возбуждает, играет на нервах, как на гитаре, и такая адская гитара выдает соответствующую музыку.

Ковыряться в себе, искать смысл жизни, разводить достоевщину — не модно. Модно — побеждать. Как в Америке.

В моду вошли сериалы. Для домохозяек. Население отвлекают и оглупляют.

Стасик не хотел бурчать как старый пень. Все равно никто не будет слушать. Стасик вспоминал, как однажды в молодые годы он приехал на кинофестиваль и увидел там звезду немого кино. Гость фестиваля. Это была старуха килограммов на сто пятьдесят. На ней было вязаное платье, а под платьем — розовое белье, которое интимно просвечивало сквозь вязку. Стасик смотрел на эту женщину и спрашивал себя: «Чего она приперлась? Сидела бы дома, варила варенье...»

Звезда немого кино важно восседала за всякими столами. Она не забыла о том, что была красавица, была возлюблена прекрасными мужами. Ей казалось, что и сейчас все по-прежнему. Ничего не изменилось.

Стасик не хотел быть смешон. И вообще не хотел ничего и никого. Лары нет, и все померкло. Она тешила его мужское самолюбие. С ней он был мачо, лось, самец, гений, красавец. А сейчас... просто старик, и до смерти четыре шага.

Стасик купил в квартиру три телевизора, в каждую комнату по телевизору. Можно вечерами сидеть в одиночестве и ни с кем не встречаться.

Стасик скучал по Ларе. Радовался, когда видел ее во сне, но она приходила редко.

В последний раз он увидел ее среди землетрясения. Падали дома, разверзалась земля. Он помчался к Ларе, чтобы спасти. Схватил ее за руку, они побежали вместе.

Лара сказала: «Мне надо уходить».

Стасик не хотел, чтобы она уходила. Он взял прядь ее волос и связал со своей прядью. Во сне у них обоих были длинные волосы. Но разве волосы держат? Лара улыбнулась снисходительно и растворилась, исчезла.

Он остался один и все вглядывался: где?.. куда?.. А вокруг все рушилось, на голову летели панели блочных домов...

Стасик заставил себя проснуться. Было очень страшно во сне и очень реально.

Он открыл глаза. Смотрел в потолок. Вот тебе и случайная связь. Сплошное землетрясение. И сын за стеной как единственное спасение.

А вдруг все неправда? Лара жива и сейчас войдет. Или позвонит, и он услышит ее голос. И тогда он скажет ей все, что она хотела услышать, но так и не услышала.

Зима была долгая, нескончаемая. Казалось, что так будет всегда: серое небо, промозглый ветер. Но зима пошла на спад. День стал длиннее. И главная радость: приехал сын Костик. Из Америки. С женой Мариной.

Они вошли, и в доме как будто зажгли все осветительные приборы.

Алеше показалось, что у приехавших дяди и тети светятся зубы. Так широко и сверкающе они улыбались.

— А это кто? — удивился Костик, глядя на семилетнего Алешу.

— Это твой брат, — объявил Стасик.

Лида театрально закрыла лицо рукой и засеменила вон из комнаты. Буквально актриса. Сара Бернар.

Марина и Костик мгновенно все поняли. Ситуация была неординарная. Но Алеша им понравился независимо ни от чего. Беленький, глазастый, доверчивый.

Костик оказался бородатый, с лысиной на макушке, уютный и веселый. Ему все нравилось: еда, люди, неприятности, все, что составляет жизнь. Он любил жить. И еще он любил науку и свое место в науке. Место было серьезное и высокооплачиваемое.

Стасику и Лиде достались мощные подарки. А Алеше Костик на другой же день купил компьютер — не детский, а настоящий. И стал учить, как пользоваться этой простой и умной машиной.

Алеша все понимал с первого раза. Ему не надо было повторять. Видимо, в нем прятались большие способности.

Алеша не отлипал от своего старшего брата. Он смотрел ему в рот, ловил каждое слово. Марина находила мальчика интересным. Они подолгу беседовали на разные темы.

Костик и Марина посещали друзей, которых давно не видели. Ходили в театры, на выставки и везде таскали за собой Алешу. Для Алеши наступили совсем другие времена: праздник, цирк, салют. Все принимали Алешу за сына Костика, и они действительно чем-то были похожи. Манерой есть, например. Манерой смеяться. Проступали родовые черты.

У Марины и Костика в Америке уже были двое своих детей, восемь и десять лет. Но почему бы не быть третьему? Пусть будет еще один, уже готовый.

Надвигалось время отъезда. Лида плакала — не театрально, тихо, по-бабьему.

Костик видел, что для матери Алеша — испытание и оскорбление. Он предложил забрать Алешу в Америку. Это был выход для всех. Особенно для Алеши.

Стасик подумал: Лара будет довольна. Ее мальчик не просто живет (да, да, да), а процветает. У него впереди большое и яркое будущее. И еще раз да.

Стасик повез Алешу к старикам попрощаться.

Ольга Степановна понимала, что видит внука в последний раз. Она была больная, старая и нищая. Она ненавидела Костина, но молчала. Боялась, вдруг он разозлится, и это как-то скажется на Алеше. Приходилось терпеть. Стасик сносил ее ненависть и в глубине души соглашался с ней, с ненавистью. Ольга Степановна была хоть и гневливая, но практичная. Внук — единственное, что осталось. Но что она ему может дать? Только свое увядание. А брат

Алеши — профессор в сказочной Америке, стране больших возможностей.

Себя, конечно, жалко. Вот что приходится переживать на старости лет: потери, разлуку. Но в старости все вянет — и лицо, и нутро, и чувства. Вянет зависть, ненависть, восторг. Равнодушие — вот что расцветает.

Яков Григорьевич никак не выказывал своих чувств. Он понимал, что от него ничего не зависит, и не рыпался, как говорится. Он был благодарен Стасику за то, что у него оказался такой качественный старший сын. Он проложит дорогу Алеше, и Алеша заживет совершенно другой жизнью, какая им и не снилась. И очень хорошо, что Алеша будет жить с молодыми. Дети должны жить с ближайшим поколением, а не через поколение. Поэтому все не так хорошо, как хотелось бы, но и не так плохо, как могло бы быть. Лара могла умереть независимо от Костина. У нее было слабое здоровье. Тогда бы не было никакого ребенка, никакого продолжения.

Могла бы родить от актера-алкоголика, тогда бы родился ребенок с плохой наследственностью. А от Костина родился прекрасный талантливый мальчик, который будет жить в налаженной стране. Вырастет и разовьется, как зерно, попавшее в благодатную почву. А Россия — страна непредсказуемая. Здесь не одно, так другое. Когда-нибудь все образуется, конечно, но на это уйдет целая человеческая жизнь. Так что Костин — не злодей, а добрый ангел.

Эти мысли Яков Григорьевич высказал своей жене. Ольга Степановна посмотрела на мужа и сказала:

— Тебе ссы в глаза, скажешь дождь идет. Карась-идеалист.

Яков Григорьевич ничего не ответил. Себе дороже. Просто он помогал себе жить. Невыносимо жить с тяжелым сердцем и носить камень за пазухой. Когда прощаешь, легче дышится.

Прошло десять лет.

Клава тоже уехала в Америку. Сидела там с детьми. Американские няньки — дорогие и формальные.

Лида тронулась мозгами. Все время закрывала окна шторами, хотела скрыть, что происходит в доме. Постоянно пряталась в своей комнате. Иногда выходила и тихо спрашивала: «Можно я с тобой посижу?»

Стасик писал, но никому не предлагал свою продукцию. Просто писал, и все.

Костик звонил из Америки. Алеша поступил в самое престижное учебное заведение. Учится бесплатно по причине выдающихся способностей.

— Он не наркоман? — спрашивал Стасик.

— Нет, он не наркоман, — спокойно отвечал Костик.

— А откуда ты знаешь? Может, он скрывает...

— Он не предрасположен, папа...

Дело в этом. Все зависит от наследственности и образа жизни. Если человеку интересно в профессии, то наркотики не нужны.

Костик зазывал отца приехать в Америку. Погостить.

И зазвал.

Стасик полетел самолетом «Аэрофлота». Он не очень доверял отечественным самолетам, они то и дело падали — то тут, то там. Стасик боялся сверзиться с многокилометровой высоты и лететь, лететь, кувыркаясь, и знать, что врежешься в землю, да еще и взорвешься под конец. Но самое ужасное — это, конечно, ждать удара.

Однако самолет благополучно долетел.

Стасика встретили и отвезли в замечательный дом с садом. В саду росли гранаты и апельсины. Сказка.

Несколько дней шла временная перекрутка. Стасик перепутал день с ночью и спал днем, как кот, а ночью не знал чем заняться... Говорят, что тигры и львы тоже дремлют весь день, а ночь — время охоты.

случайная связь

Стасик посетил Нью-Йорк. Побывал на Брайтон-Бич. Натурально, Одесса. Натурально, евреи.

Дом Костика стоял в горах, ближе к Голливуду. В Голливуде тоже селились евреи, но это были другие евреи: богатые, удачливые.

Стасик бродил по городу Лос-Анджелесу. Большая деревня. Без машины никуда. А машина у детей.

Лос-Анджелес, судя по названию, — мексиканский город. С мексиканским климатом.

Если здесь жить и работать, если здесь любовь, дело и дети, то можно жить везде. А если здесь только твое тело, при этом далеко не новое, то время тянется медленно.

Стасик просыпался от шагов.

Вот мягкие, шаркающие — это Марина собирается на работу.

Вот босые, торопливые, тукающие пяточками — это Алеша устремился в университет.

Стасик открывает глаза. Алеша замер против окна и смотрит в сад. Что-то увидел, может, птицу. Может, созревший гранат, а может, игру света на листьях.

Сад подступил к самому дому. Если открыть стеклянную дверь, можно выйти в сад босиком. Здесь нет зимы. Вместо зимы время дождей. А сейчас время солнца.

Стасик смотрит на своего младшего сына. Он стоит в ночной рубашке и похож на отрока, ученика Андрея Рублева, например. Или на сына Анны Карениной, только постарше. Он стоит, слегка скособочившись, одно плечо ниже другого. Солнце пронизывает комнату золотыми дрожащими лучами и пронизывает Алешины уши. Он соткан из солнца, его нечаянный мальчик. О! Как он его любит... Как он прячет эту любовь, буквально глотает ее в себя, как таблетку, чтобы никто не заметил. И эта таблетка любви задерживает его на земле. Хочется жить, потому что есть для кого.

В глубине дома — топот маленького стада. Это проснулись дети.

Через полчаса все успокаивается. Все разбежались по своим точкам. Тогда старик Стасик медленно встает. Он никому уже не мешает, никто на него не натыкается.

Клава варит ему кофе и спрашивает: «Три-два?» Это значит три ложки кофе и две сахара. Она знает, что «три-два», но все равно спрашивает.

Клава — кусочек Москвы, и ему это приятно. Она делает Стасику сырники, хотя Марина против сырников. Калорийно, там мука и яйца. Надо есть просто творог.

Просто творогом Стасик не наедается. Сырники лучше. К тому же Марины нет дома. Клава добавляет изюм, ванильный сахар. Песня…

Все хорошо. Лучше не надо. Но уже тянет домой.

— Надо собираться, — говорит Стасик.

— А чего тебе не хватает? — удивляется Клава. — Дети рядом. Дом полная чаша.

— Это их жизнь.

— Понятное дело, — соглашается Клава.

Здесь их молодая жизнь. А его жизнь в Москве. Там его прошлая слава, там русский язык, там Корявая Лида, которая спросит: «Можно я с тобой посижу?» Там стоит его письменный стол. Он сядет за него и будет работать, даже если это никому не нужно.

вай нот?

киносценарий для «узбекфильма»

Эта история произошла с моей подругой тридцать лет назад. Сейчас она крупный ученый, нейрофизиолог. Впереди планеты всей. А тогда только начинала свою деятельность в далеком Ташкенте.

Представьте себе, все так и было. Ну, может быть, немножечко по-другому…

Собаке по кличке Бой делали энцефалограмму. Профессор Азиза Усманова нажимала на кнопки прибора. Шла лента с информацией. Азиза внимательно изучала показания.

Бой в специальном шлеме с преданностью смотрел на свою хозяйку в белом халате. Он болтал хвостом, как маятником, и улыбался. По всему было заметно, что Бой пребывал в прекрасном расположении духа.

вай нот?

— Молодец, Бой! — похвалила Азиза и выключила прибор. — Ты — настоящий товарищ!

В кабинет заглянула секретарша и сообщила:

— Пришли!

Иностранцы, переводчица и представители института уже сидели за длинным столом кабинета директора.

— Азиза Усманова! — представил Рустам вошедшую Азизу. — Профессор-нейрофизиолог, создатель современной информационной теории эмоций.

Переводчица перевела.

Иностранцы с большим уважением посмотрели на Азизу.

— Госпожи Марианна Хансен и Хелла Деальгард, представители феминистического движения Швеции, — познакомила переводчица.

Азиза кивнула. Села за стол против шведок. Наступила пауза — когда непонятно, о чем надо говорить.

— Давайте скорее. Время теряем, — поторопил директор.

— Переводить? — спросила переводчица.

— Наша задача доказать, что женщина может подняться на те же высоты, что и мужчина, — заговорила пожилая госпожа Хансен. — В вашей стране я встретила очень много просто феноменальных женщин.

Сейчас в Европе появился новый тип деловой женщины, который не менее сексуален. Вот вы… простите, как ваше имя…

— Усманова, — подсказал Рустам.

— Не вмешивайся, — попросил директор.

— Госпожа Усманова… вы очень красивая женщина, и это не мешает быть вам большим ученым.

— Не мешает, — подтвердил Рустам, оглянувшись на директора. — Я поддерживаю беседу… — оправдался он.

— Наше феминистическое движение сделало большие успехи, — продолжала госпожа Хансен. — Мы добились того, что с ребенком сидит дома тот член семьи, который меньше зарабатывает. Если жена зарабатывает больше, чем муж, то муж сидит с ребенком и жена ходит на работу.

— А кормит кто? — спросил Рустам.

— Тот, кто сидит дома. У вас есть дети?

— Да, — кивнула Азиза.

— Сколько?

— Один. Одна…

— А муж?

— Тоже один.

— А кто ведет хозяйство?

Азиза думает.

— Я.

— А что делает муж?

В этот момент муж Азизы Тимур Усманов стирал в ванной комнате свои носки, терзая

вай нот?

их в руках. Потом он их выкрутил и выкрученными повесил сушить.

В кухне что-то зашипело. Тимур выбежал из ванной. Это из кастрюли убегал суп.

Азиза в это время давала интервью.

— Переведите, что у них интеллектуальный брак, основанный на взаимном уважении, — подсказал директор переводчице.

Переводчица перевела. Госпожа Хансен одобрительно кивнула.

— Простите, а чем вы занимаетесь? — спросила Хелла.

— Я исследую молекулу радости. При каких условиях она синтезируется в мозгу. Ее химическую структуру.

— А какая сверхзадача?

— Сделать счастливым все человечество.

— О! Значит, мы занимаемся одним и тем же! — воскликнула госпожа Хансен.

Директор незаметно посмотрел на часы и вздохнул. Тоже незаметно.

Древняя площадь Регистан.

Верблюд Люша в красивой попоне покорно опустился на колени. На верблюда посадили госпожу Хансен. Верблюд поднялся. Все встали рядом. Сфотографировались. Потом стали снимать госпожу.

— Сидела бы дома, — вполголоса сказал Рустам.

— Переводить? — спросила переводчица.

— Не надо.

— Это башня, с которой в давние времена сбрасывали неверных жен, — показала Азиза.

— А что делали с неверными мужьями?

— У мужей были гаремы.

— А что это такое?

— Это... вроде общежития для жен. У хивинского хана, например, было четыреста жен. Так он только и делал, что был неверным.

— Как хорошо, что мы живем в другое время и в другой цивилизации!

— ...А сейчас просим дорогих гостей отведать наше узбекское национальное кушанье: плов.

Переводчица перевела.

— Плов — это что? — спросила Хелла.

— Это баранина и рис, приготовленные определенным способом.

— Мы вегетарианцы. Наши убеждения не позволяют нам есть мясо.

— А что же делать? Чем же их кормить?

— Можно сделать сладкий плов, — предложила Азиза.

— Феминисты... Вегетарианцы, — пробурчал Рустам. — Поэтому у них и рождаемость падает...

Квартира Азизы. Азиза сидела за письменным столом, читала диссертацию.

вай нот?

Посреди комнаты на стуле стоял раскрытый чемодан.

Тимур расстелил на столе байковое одеяло и сушил носки горячим утюгом. Из-под утюга шел пар.

— Что ты делаешь? — удивилась Азиза.

— Носки сушу.

— Возьми другие носки.

— У меня целых только одна пара.

— Купи… Кто тебе мешает?

— Никто не мешает. Руки не доходят.

Азиза идет на кухню. Наливает из кастрюли еду. Подозрительно смотрит на тарелку.

Тимур в это время надел носки, но они были еще влажными. Снял и снова поставил на них утюг. Чтобы не терять времени даром, достал нитки, иголку, стал закреплять пуговицу на рубашке.

Появилась Азиза.

— Паленым пахнет, — сказала она.

Тимур рванулся к утюгу. Но было поздно. Носок был безнадежно прожжен.

— Что делать? — растерянно спросил Тимур, глядя на дыру.

— Сам виноват. Никогда не надо делать два дела сразу.

— Тебе понравилась мастава? — спросил Тимур.

— Вкусно. Только ты рис не помыл. Бульон серый.

...Муж Азизы стоял над раскрытым чемоданом, раздумывая, что туда положить. Азиза сидела за письменным столом, читала статью, подчеркивая спорные места.

— У него такие неожиданные выводы. Он, конечно, дурак, но очень талантливый.

— Кто? — не понял Тимур.

— Мансуров.

— А разве бывают талантливые дураки?

— Безусловно. Ум и талант располагаются в разных отделах мозга... Ничего, что я тебя не собираю?

— Ничего. Даже хорошо, — сказал Тимур.

— Почему хорошо?

— Потому что я лучше знаю, что мне надо в дорогу.

— А почему они посылают тебя? Нашли мальчика на побегушках.

— Ты тоже ездила. И тоже не девочка.

— Я ездила во Францию, а ты в Сибирь. Это не одно и то же. В Париже и климат другой.

— Кто-то должен ехать и в Сибирь.

— Когда ты вернешься?

— Через неделю.

— Значит, в среду?

— В крайнем случае, в четверг.

— Послушай, как интересно он пишет: «Сознание — это мышление вместе с кем-то, аналогично с со-чувствием. Оно вызвано необходимостью передать свое знание другому. Требует слов». Ну, как?

вай нот?

— Мне пора. — Муж запирает чемодан. Надевает пальто.

Азиза подходит к нему. Поправляет шарф.

Муж обнимает ее. У него слезы в глазах.

— Ты стал сентиментален.

— Это старческое, — сказал муж.

— По-настоящему люди любят друг друга в старости. Потому что у них нет выбора.

— Это тоже из диссертации?

Обнимаются.

Муж уходит.

Азиза приближается к окну. Смотрит, как он идет с чемоданом. Муж оборачивается, машет рукой. Она тоже машет ему.

Есть всегда что-то щемящее в сценах расставания. Каждое расставание — это разлука. А всякая разлука — это мини-смерть.

Азиза еще долгое время провожает мужа глазами среди людей и домов. Потом садится к столу. Углубляется в материал. И уже через какое-то время забывает и разлуку, и мини-смерть.

Раздается звонок в дверь. Этот звонок пресекает вдохновение. Приходится встать. Открыть дверь.

В дверях Нодира — соседка Азизы.

— Тебе атлас надо? — спросила Нодира и показала отрез яркого атласа.

— Спасибо. Ты же знаешь, я не шью.

— Ну и что? Подаришь кому-нибудь! Что, тебе некому подарить?

— Ну давай...

Азизе легче было купить, чем спорить с соседкой.

— Пятьдесят рублей, — сказала Нодира, входя в дом. — Ты не думай. Это я тебе по-соседски... даром почти.

— Спасибо. — Азиза отдает деньги.

Ждет, что Нодира уйдет. Но она медлит.

— Извини, я работаю. — Азиза кивает на письменный стол.

— Ты молодец, — хвалит Нодира. — Ты женщина умственная. И дочка у тебя воспитанная. Всегда здоровается.

— По-моему, он забыл теплое белье. Простудится...

— Кто? — не поняла Нодира.

— Муж. Там же холодно. Пятьдесят градусов мороза.

Нодира долго, изучающе смотрит на Азизу.

— Чего ты смотришь?

— Думаю. Почему это на нашей улице десять градусов тепла, а на соседней пятьдесят градусов мороза.

— Он в Сибирь уехал, в Братск. Они запускают там новый завод тяжелого машиностроения.

вай нот?

— Твой муж не уехал, а ушел. И не на завод, а к твоей секретарше. И не в Сибирь, а на соседнюю улицу.

— Что ты бормочешь? Иди и проспись.

Нодира поднимается с кресла.

— Гонцу, который приносил дурные вести, всегда рубили голову, но знай, кроме меня, тебе об этом никто не скажет. Потому что все от тебя зависят. А я завишу только от финского импорта. А финнам торговать с нами выгодно.

Нодира идет к двери.

— Стой!

Нодира оборачивается.

— Это правда?

— Спроси у кого хочешь! Это все знают. Хочешь, спроси у своего директора. Его жена у нас отоваривается.

Нодира идет к телефону, набирает номер.

Азиза забирает трубку. Кладет на рычаг.

— Гордая! — отметила Нодира. — И правильно! Когда от меня муж ушел, я плакала всем в жилетку. А что толку? Пожалеть не пожалеют, а уважать перестанут.

Азиза стоит посреди комнаты. У нее такой вид, будто ее оглушили.

— Если не веришь, можно сходить. Улица Шаумяна, тридцать четыре. Хочешь, вместе сходим...

...В небе стояла большая луна, и лунный свет обливал древние чинары.

Нодира и Азиза остановились возле больших железных ворот.

В глубине двора залаяла собака.

Нодира действовала решительно. Нажала кнопку звонка.

— А что мы скажем? — спросила Азиза.

— Скажем, что атлас завезли.

Послышались шаги. Кто-то шел по двору к воротам.

— Я не пойду... — Азиза торопливо шагнула в тень.

— Боишься? Ну ладно, я сама...

Калитка отворилась. Нодира прошла с улицы во двор.

Азиза осталась одна. Стоит. Ждет. Старинная улочка как-то таинственно преобразилась в свете луны, и Азизе кажется, что это все нереально и происходит не с ней.

Появилась Нодира.

— Там он! — с удовольствием доложила она. — Чай пьет. Хочешь, зайдем?

— Как.. там? — не поверила Азиза.

— В комнате. За столом сидят. Я из кухни видела. Твой спиной ко мне сидел. В пиджаке. Твой муж в пиджаке?

— В пиджаке.

— Ну вот... Секретарша такая веселая. Она весь институт перебрала. Мужа себе ис-

вай нот?

кала. И к директору лезла, и к Рустаму. Ей плевать, что один старый, другой женатый. Искала, что плохо лежит. Потом на твоего вышла. А твой-то тихий, порядочный, подкаблучник... Такие сразу попадаются. У них иммунитета нету.

— А где она его взяла?

— Помнишь, ты болела... Она тебе работу домой привозила... Так что прямо дома у тебя и взяла.

— Да... — вспомнила Азиза. — Она действительно часто появлялась. Такая милая девушка. Услужливая... Предлагала обед сготовить. А потом перестала приходить.

— Потому что он сам к ней стал ходить. Вот и перестала.

— А почему ты все знаешь, а я нет?

— Потому что мы, жены, всегда все узнаем последними. Я уже через такое прошла, а ты — новенькая. Так что ты меня слушай. Придешь на работу, ни с кем не разговаривай. Будто тебя это не касается. Оденься красиво, но не наряжайся. Избери тактику Кутузова: отзови своих солдат, уведи войска в неизвестном направлении, так чтоб Наполеону не с кем было воевать.

— А ты откуда знаешь про Кутузова?

— А мой муж историей занимался. Я ведь тоже не всегда в торговле работала.

Азиза смотрит перед собой.

— Нет... Этого не может быть. Я не верю. Подумаешь... в пиджаке. Все мужчины в пиджаках.

— А вот отсюда видно... Иди сюда.

Забор, отделяющий дом от улицы, — высокий и сплошной. Нодира подтаскивает к забору несколько кирпичей. Азиза встает на них. Подтягивается на цыпочках. Видна верхняя треть окна, а в окне чья-то макушка.

— Не видно...

Нодира подходит к забору, нагибается и преданно подставляет спину. Азиза забирается на спину.

— Ты что, на каблуках? — недовольно ворчит Нодира. — Кто это сейчас каблуки носит?

— Я не на каблуках, а на коленках...

— У тебя коленки, как гвозди... Ну что, видно?

Азиза подтягивается и видит окно во всю его высоту и ширину, но кто-то загородил его широкой спиной. Азиза потянулась в сторону, чтобы что-то увидеть из-за спины.

— Что ты ерзаешь? — обиделась Нодира.

— Сейчас, подожди...

Из будки выскочила собака, громадная, черная, и бросилась на стену. Нодира испугалась и стряхнула Азизу. Азиза схватилась за край забора руками и повисла на стене.

вай нот?

Пес пытался допрыгнуть до ее пальцев и лаял, захлебываясь. Из дома секретарши вышел старик, должно быть, ее отец, и грозно крикнул:

— А ну, вынесите мне ружье с солью, я им, хулиганам, покажу, как по садам лазать!

Азиза разжала пальцы, свалилась, как куль с мукой, на землю. Потом подхватилась, сняла туфли и побежала от забора.

За углом ее поджидала Нодира.

— Ну как?

— Что же ты меня бросила? Меня чуть не подстрелили!

— Вот как люди свое охраняют! Не то что ты! Из-под самого носа мужа увели.

— Ладно! — оборвала Азиза. — Не твое дело… Пошла ты… вместе с ним.

Азиза надела туфли и пошла не оглядываясь.

— Вот и делай после этого добрые дела! — обиделась Нодира. — Неблагодарная! — крикнула она вслед. — И дочка у тебя невоспитанная, никогда не здоровается.

Азиза вошла в свой лифт. Ее душили слезы, но в лифте вместе с ней поднимался посторонний молодой человек, и Азиза сдерживалась изо всех сил.

Она вышла из лифта. Молодой человек тоже вышел. Одновременно подошли к двери.

— Вам куда? — спросила Азиза.

Молодой человек заглянул в бумажку.

— Дом семь, квартира сто сорок восемь.

— Это моя квартира.

— Значит, я к вам. Я маляр. Мы на сегодня договаривались по телефону. Помните?

Азиза открыла дверь. Она не помнила о маляре, у нее все вылетело из головы в связи с последними событиями.

— Договаривались? — переспросила она.

— Вы сказали, что ваш муж едет в командировку и вы за неделю хотите сделать ремонт.

Азиза молчит.

Маляр принял молчание за знак согласия, вошел в дом и тут же скрылся в ванной комнате. Через несколько секунд он вышел оттуда настоящим маляром, в рабочей одежде, закапанной белилами.

— Я буду приходить только поздно по вечерам, — сказал он. — Потому что днем я работаю, а вечером учусь.

Маляр тут же начал срывать обои со стен.

— У вас есть старые газеты? — спросил он. — Надо закрыть газетами мебель.

— У меня нет газет.

— Тогда накройте простынями.

Азиза стоит.

— Вы меня слышите? — спросил со стремянки маляр.

Азиза молча, как сомнамбула, достала из шкафа простыни, стала покрывать мебель.

вай нот?

— А мужчин у вас нет? — спросил маляр.

— Нет.

— Ну ничего, сами управимся...

Азиза и маляр с энтузиазмом начинают двигать мебель под лихую музыку, которая доносится из-за стены. У Азизы от напряжения рвется платье на спине. Она садится отдохнуть.

Маляр протягивает Азизе противогаз.

— А что это?

— Противогаз.

— Зачем?

— Пол будем лаком покрывать. Вредные испарения.

Гаснет свет. Все погружается в темноту.

— Как это понимать? — спросил маляр.

Азиза выходит на балкон. Возвращается.

— Во всем доме нет света. У нас новый дом. Постоянно что-нибудь отключается: то свет, то вода. Сдали досрочно. Кто-нибудь премию получил.

— Тогда я пошел. До завтра.

Маляр ушел, натыкаясь в темноте на предметы.

Азиза зажигает толстую свечу. При свете свечи комната выглядит как после взрыва. Со стен свисают клоки обоев. Вся мебель сдвинута на середину и закрыта простынями.

Азиза берет свечу, подходит к телефону. Набирает номер. Длинные гудки.

И Азизе кажется:

...Тимур сидит развалившись, как хан. Секретарша ставит блюдо с пловом, с подлинным мастерством танцует перед ним танец живота.

Звонит телефон.

Муж перестает есть плов, а секретарша перестает танцевать и идет к телефону.

— *Не подходи! — пугается Тимур.*

— *Почему? — не понимает секретарша.*

— *Это может быть она. Я ей ничего не сказал. Она не знает.*

— *Почему?*

— *Почему, почему... — раздражается Тимур. — По кочану.*

Он поднимается, гасит свет. Выключает телевизор.

— *А это зачем? — покорно и нежно спросила секретарша.*

— *Она может нас увидеть.*

Тимур задергивает штору. Настает полная тьма.

— *Так и будем теперь сидеть в темноте?*

— *А зачем нам свет?*

Слышны звуки поцелуя.

Азиза отходит от телефона. Ложится на диван, стоящий посреди комнаты. Смотрит, как на стене колеблются тени от пламени свечи.

Зал суда. В зале секретарша в мини-юбке, свидетели. Среди свидетелей шведки-феминистки, Нодира, директор, Рустам.

вай нот?

Судья: Слушается дело о разводе Усмановой А. В. с мужем Усмановым Т. Б. Вопрос к ответчику: почему вы предали?

Муж: Я не предавал. Я полюбил.

Судья: Почему вы честно не сказали об этом? Почему Усманова А. В. должна была узнать от посторонних лиц? Каково ей стать жертвой сплетни?

Муж: Сплетни всегда были, есть и будут. Сплетни заменяют людям творчество.

Судья: Значит, вы не любили вашу жену?

Муж: Я был одинок. У меня даже не было фамилии. Я всегда был «муж Усмановой». Моей жене нужен весь мир, а мне достаточно одного человека. И он у меня есть.

Секретарша скромно потупилась. Все на нее обернулись.

Из зала поднимается свидетель Нодира.

Нодира: Товарищи, ну посудите сами. Разве можно их сравнивать? Усманова А. В. имеет научные труды, а секретарша может написать только поздравительную открытку к празднику, да и то с ошибками.

Муж: Объективно лучше жена. Но мне лучше секретарша.

Судья: Слово адвокату.

Адвокат: Помимо того, что ваша жена ученый с мировым именем, известный не только у нас, но и за рубежом, она — просто женщина. У нее была стена. Крепость.

А сейчас она — вне крепости. Вы выставили ее на посмешище перед всеми...

Хансен: Азиатская позиция. Все-таки Восток — это не Запад.

Азиза достает из кармана пистолет и стреляет в мужа. Тот падает. Секретарша безутешно рыдает у него на груди.

В зале переполох и замешательство.

Азизу уводят из зала, запихивают в машину с зарешеченными окнами. Азиза глядит из-за решетки. К ней подходит Нодира.

— Дура ты, — сказала Нодира, — теперь будешь есть хлеб и воду. А она выйдет замуж в другой раз, и ее новый муж будет носить ей витамины с базара.

Секретарша стоит в стороне, держит у носа платочек. Рустам утешает ее, поглаживая по плечу.

Машина тронулась с места, увозя Азизу.

Шаги тяжелые, как у солдата. Это со свидания вернулась Гульнара — семнадцатилетняя красавица. Дочь Азизы.

Гульнара в недоумении смотрит по сторонам.

— Что происходит?

— Ремонт, — отозвалась Азиза.

— А телефон где?

— Здесь.

вай нот?

Гульнара садится возле матери, начинает набирать номер.

— Рахим? Я вернулась. Все в порядке. Таксист довез меня до самого подъезда.

— А почему он тебя не провожает? — спросила Азиза.

— А откуда у него деньги на такси?.. Очень, — сказала Гульнара в трубку. — А ты?

— Хватит болтать, — приказала Азиза. — Поздно уже.

— Но ты же не спишь.

— Могла бы и спать, при других обстоятельствах.

Гульнара вглядывается.

— Ты плачешь?

— Да.

— Чего?

— Меня предали.

— Кто?

— Секретарша.

— Подумаешь... Найдешь себе другую. Секретарш много, а ты одна. — Гульнара сбрасывает свитер, джинсы, ложится рядом с матерью. — Мам...

— Что?

— Ты видела, что у меня от сапог отлетел каблук?

— Ну и что?

— А то, что мне надо другие.

— У тебя есть. Малиновые.

— Они не модные. Они с молнией.
— Возьми мои.
— Они мне велики.
— Почему ты такая черствая? Я тебе говорю, что у меня несчастье, а ты — сапоги...
— А сапоги, думаешь, не несчастье? Для молодой девушки внешность — это самовыражение. Если девушка некрасива, в ней нет никакого смысла.
— Самовыражение — это интеллект. Это личность.
— Знаю, знаю. Набор целей, сумма потребностей... Вон Зейнабка в нашем классе — умная, так у нее голова, как у сенбернара. Ни одна шапка не налезает. А у меня голова маленькая, очень эстетично. Зато и мозгов мало. Я к науке не приспособлена. Я буду делать женскую карьеру.
— А что это за карьера? — испугалась Азиза.
— Муж. Дети. Пять детей минимум. Красивый дом, красивые отношения. Вы этого не понимаете, потому что всю жизнь смотрите в микроскоп.

Обе лежат молча.

Гульнара ровно дышит. Она заснула.

— Иди к себе! — толкнула ее Азиза.
— Можно я здесь буду спать?
— Нельзя. Иди.

Гульнара упрямится. Азиза ее толкает, но Гульнара будто вросла в диван. Азиза

вай нот?

пытается ее скинуть, они начинают возиться, как дети, и кончается тем, что падают обе.

Утро. Институт.

Азиза в красивом костюме идет по коридору походкой, исполненной достоинства. Здоровается с сотрудниками сухим полукивком, пряча за высокомерием свое истинное состояние.

Подошел Рустам.

— Сегодня в два часа будет немецкая делегация биологов…

— Я занята, — сухо отозвалась Азиза.

— Но…

— Я не экспонат. Нечего демонстрировать. И вообще… немцы убили половину моих родственников.

— Так это же другие немцы, — возразил Рустам. — Эти же не воевали.

Азиза отходит от Рустама, оставляя его в некотором недоумении.

Секретарша сидела на месте и занималась своими обычными делами: отвечала на телефонные звонки, печатала на машинке. Увидев вошедшую Азизу, она поздоровалась без тени смущения. Азиза ответила. У обеих был вид, будто ничего не случилось.

— Возьмите, пожалуйста, билет на самолет и командировочные, — предложила секретарша и подвинула Азизе ведомость.

Азиза расписалась.

Секретарша передала пакет с деньгами.

— Еще восемьдесят четыре копейки, — сказала она и стала отсчитывать мелочь.

Азиза ждала, серебра не было, одни медяки, и это продолжалось невыносимо долго.

...Азиза протянула секретарше конфетку. Та благодарно улыбнулась и стала разворачивать. Развернув окончательно, положила в рот и упала на стол замертво.

В этот момент раскрылась дверь, и вошел директор института с немецкой делегацией.

Секретарша лежала на столе без признаков жизни.

— Что это? — поразился директор.

— Не знаю. Когда я вошла, так было... — сказала Азиза.

— Неправда, — возразил директор. — Было по-другому. Это вы ее убили. За что?

Переводчик перевел текст немцам. Немцы сдержанно улыбнулись.

— Это моя соперница, — ответила Азиза.

Переводчик перевел.

— Если женщины начнут убивать своих соперниц, вы потеряете народа больше, чем во Вторую мировую войну. Вам придется истребить всех женщин от восемнадцати

вай нот?

до сорока, — сказал руководитель немецкой делегации.

Переводчик перевел.

— Почему до сорока? До пятидесяти пяти, — возразила пожилая немка.

Директор института с укором посмотрел на Азизу и сказал:

— Вы меня подвели. Что теперь о нас подумают? Я от вас этого не ожидал.

…На пол упала и громко звякнула монета.

— Извините, я подниму, — предупредительно сказала секретарша.

— Спасибо… — Азиза достала носовой платок, вытерла лоб.

— Вам плохо? — с искренним сочувствием спросила секретарша.

— Нет. Мне хорошо.

Собака Бой лежала, склонив голову на лапы. Ей было грустно.

Азиза сидела в своем кабинете и смотрела перед собой. Из крана монотонно капала вода, будто отсчитывала бесполезные секунды и отбрасывала их в вечность.

Азиза поднялась, закрутила кран покрепче и снова села, глядя в одну точку.

Бой приподнял морду и тихо провыл, жалуясь.

В лабораторию вошел Мансуров. Ученик Азизы.

Собака Бой подняла с лап голову и приветливо махнула хвостом.

Азиза сидела и смотрела перед собой.

— Здравствуйте… — поздоровался Мансуров.

Азиза подняла на него глаза.

— Мне надо с вами поговорить.

— Говорите.

— Я не знаю, с чего начать. Это очень серьезно для меня.

— Вы что, хотите сделать мне предложение? — спросила Азиза.

— Какое предложение? — удивился Мансуров.

— Руки и сердца. Какие бывают предложения…

— Да нет… Замуж — это ерунда. У меня дела посерьезнее.

— Как ерунда? — поразилась Азиза.

— Жену необязательно всем показывать. А работу видят все. Я переменил шесть профессий. Я даже на Тихом океане плавал. На сейнере. Рыбу ловил. Гидрологом работал на Севере. Я могу делать любую работу. Но я хочу найти свое единственное дело. Что такое мужчина? Это его дело. Разве не так?

— Ну, предположим. Говорите прямее. Не так издалека.

— Может, мне уйти из науки?

— Но вы уже написали диссертацию, — удивилась Азиза.

вай нот?

— Она бездарна.
— Кто сказал?
— Шамшаров.
— Он так и сказал?
— По форме иначе, но по существу так.
— А зачем вы верите? У вас должно быть свое мнение на свой счет.
— У меня его нет. Я про себя ничего не понимаю.
— Я давно заметила, что талантливые люди про себя ничего не понимают. А бездарности, как правило, о себе очень хорошего мнения.
— Шамшаров сказал, что сейчас все стараются написать диссертацию. Палкой кинешь — в кандидата попадешь.
— Хорошо. Я поговорю с Шамшаровым.
— Может быть, не надо? — испугался Мансуров.

Институтский буфет. Шамшаров сидел за столиком и ел. Перед ним на тарелках лежали только зелень и овощи.
— Можно с тобой сесть? — спросила Азиза, подходя.

Шамшаров стал раздвигать свои тарелки.
— Ты, как швед, — заметила Азиза.
— Почему?
— Вегетарианец.

Шамшаров не ответил. Жевал свою зелень.

Наступила пауза.

— Ты почему такой зануда? — спросила Азиза. — Ты же не старый. Не больной. Полноценный мужик.

— Чем хочу, тем и питаюсь. Не твое дело.

— Я не про питание.

— А про что? — Шамшаров поднял глаза.

— Почему ты не помогаешь молодым? Затираешь наиболее способных. Действуешь по принципу: «дави котят, пока слепые».

— Трава пробивается и сквозь асфальт. Если настоящее — пробьется.

— А вдруг не пробьется? Вдруг наступят ногой? Ты же знаешь, как важно своевременно протянуть руку помощи!

— Не знаю. Мне никто никогда не помогал.

— Неправда. Вспомни пятый курс. Я тогда сидела день и ночь с твоим дипломом. А все думали, что это ты пишешь за меня.

— Да. Ты была такая красивая, что трудно было представить, что ты еще и умная.

Шамшаров окунулся в воспоминания, и его лицо стало отрешенным, как будто он увидел молодую Азизу.

— Я тебе тогда помогла, — настойчиво проговорила Азиза. — А теперь твоя очередь помочь.

— Тебе?

— Нет. Не мне. Другим. По цепочке.

вай нот?

— Да. Ты мне очень помогла, когда вышла замуж за другого. И даже не сказала. Я случайно узнал.

— Как-то очень стремительно все получилось, — извинилась Азиза. — Он сделал мне предложение через два часа после знакомства.

— Я любил тебя с пятого класса по пятый курс. Десять лет. А он — два часа.

— Не будем об этом. Столько воды утекло. За нами уже новое поколение выросло.

— Но это ответ на твой вопрос: почему я стал зануда? Я страдал! И страдаю! Прошлое имеет очень большую власть над людьми.

— Страдания облагораживают человека, — заметила Азиза.

— Ерунда! Счастье — вот университеты. А страдания — это засуха. Из страданий ничего путного не взрастает.

— Но при чем тут Мансуров? Почему он должен отвечать за твои неудачи?

— Потому что не только добро по цепочке. Но и зло по цепочке. Ты бросила камень, и двадцать лет идут круги по воде.

— Можешь успокоиться. В меня тоже бросили камень. Тимур ушел от меня. И тоже ничего не сказал. Я узнала от посторонних.

Шамшаров оторопел.

— Что смотришь? Ты должен быть доволен. Сработал принцип бумеранга.
— Когда?
— Вчера.
— Это правда? Это не сплетня?
— Это правда.
— Но почему он ничего не сказал?
— У него маленький словарный запас. Он вообще молчаливый человек. А я умная и все пойму. Иногда понять бывает полезнее, чем услышать.

Пауза. Шамшаров приспосабливал новость к своей нервной системе.
— Ты доволен? — спросила Азиза.
— Не знаю, — честно сознался Шамшаров. — Азиза... Ты можешь рассчитывать на меня... Мы еще молоды... Впереди хороший кусок жизни.
— Мы не молоды, — возразила Азиза. — Но счастья все равно хочется. Я подумаю...
— Ты тогда тоже сказала: я подумаю, а через неделю вышла замуж за Тимура.

Концертный зал. Современный эстрадный ансамбль поет песню.

Азиза и Мансуров сидят в зале.

Вдруг Азиза видит неподалеку от себя Тимура и секретаршу. Они сидят, прижавшись друг к дружке, сцепив руки. Азиза вздрагивает. Всматривается. Нет. Это другие люди.

вай нот?

Ансамбль поет. Азиза сидит с отсутствующим видом...

...Вместе с толпой Азиза и Мансуров выходят на улицу. Они пребывают совершенно в разных настроениях. Но оба сдержанны. Мансуров сдерживает счастье, а Азиза — горе.

Мансуров останавливается на переходе.

— Значит, я... буду?

— Вы уже есть.

— Повторите, пожалуйста, еще раз.

— Вы должны сейчас защитить свою диссертацию. Заявить себя в науке. Утвердить дальнейшим трудом. А потом всю жизнь подтверждать. Вот ваш путь на ближайшие, ну скажем, пятьдесят лет.

Пауза. У Мансурова на глазах слезы.

— Спасибо...

— За что? — удивилась Азиза.

— За находку. Я себя потерял, а вы меня мне вернули. А потерять себя гораздо страшнее, чем потерять другого.

— Будьте у себя всегда! — пожелала Азиза.

— Идемте! — Мансуров потянул Азизу под руку.

— Но ведь машины, — испугалась Азиза.

— Зеленый свет. Идемте.

Мансуров решительно взял Азизу за руку и потащил ее через дорогу.

Они дошли до середины, и в это время включился красный свет и стая машин устремилась вперед, как сорвавшиеся мустанги. Азизе казалось, что тупорылый грузовик несется прямо на нее. Она вырвала руку из руки Мансурова и опрометью бросилась обратно, хотя по левой стороне неслись такие же машины, только в обратном направлении. Мансуров помчался за Азизой, лавируя между колесами несущегося транспорта. Наконец они, запыхавшись, выскочили на тротуар.

— Что с вами? — поразился Мансуров.

— Я боюсь переходить дорогу. С детства.

Азиза вдруг заметила, что от костюма оторвалась пуговица.

— Пуговица… — растерянно проговорила Азиза и пошла обратно в поисках пуговицы. Она шла, глядя вниз, как по лесной полянке в поисках гриба. Машины, шарахаясь, объезжали Азизу.

Мансуров метнулся на дорогу, решительно схватил Азизу за руку, вернул на тротуар.

— Вам что, пуговица дороже, чем жизнь?

— Теперь придется все пуговицы менять. А такие не продают.

Азиза заплакала. Обо всем сразу. Мансуров этого не понимал и в растерянности смотрел на своего руководителя, плачущего на людях из-за какой-то паршивой пуговицы.

вай нот?

Мансуров обнял Азизу, пытаясь утешить. Азиза вдруг возмутилась и резко оттолкнула Мансурова с неожиданной для него и для себя силой. Мансуров чуть не упал. На них оглядывались люди.

Азиза повернулась и пошла через дорогу. Обескураженный Мансуров смотрел ей вслед.

Кишлак.

Во дворе играют трое мальчиков — племянники Азизы, год, три и шесть лет.

Младшие лупят старшего, в воздухе так и мелькают их худенькие ручки, похожие на барабанные палочки с маленькими кулачками на концах. Старший, Шухрат, только уклоняет голову, но терпит.

Подъезжают синие «жигули». Из машины выходит Азиза.

Мальчики перестают драться и с шумом устремляются к тетке.

Азиза вытаскивает из машины подарки: два маленьких трехколесных велосипеда и машину с педальным управлением. Машина — старшему. Но маленькие налетают и отбирают у него машину. Старший не сопротивляется, только грустнеет.

Из дома вышла Зейнаб — мать Азизы.

Азиза целует ее, отдает ей атлас, купленный у Нодиры.

— Перестаньте! — кричит Зейнаб своим внукам. — Дерутся, как тараканы.

— Мы не тараканы, мы дети, — строго отвечает средний.

Зейнаб и Азиза проходят в дом.

Зейнаб тут же накрывает на стол.

— Как Гульнара?

— Учится.

— А Тимур?

— В командировку уехал. В Сибирь.

— Надолго?

— На неделю…

— А как… эта… твоя…

— Секретарша?

— Да нет, твоя наука, забыла, как называется.

— Нейрофизиология. Жизнь головы.

— Я слышала, вы режете собак. А это грех.

— Я изучаю, отчего человек бывает счастлив.

— Отчего?

— От познания. Молекула радости синтезируется в мозгу, когда человек что-то познает: тело, душу, новую пищу.

— А зачем это изучать? И так ясно.

— Если знать жизнь головы, то можно сделать счастливым все человечество.

— Пусть каждый сделает счастливым хоть одного человека. А ты родила всего одну дочку. Пускаешь в жизнь ее одну, ни брата, ни сестры.

вай нот?

В дом вошли три мальчика.

— Купи мне машину! — строго приказал средний.

— Пусть Шухрат поиграет, потом ты у него возьмешь, — сказала Азиза.

— Купи машину — я сказал! — велел средний.

— Настоящий басмач, — заметила Зейнаб.

Маленький разогнался и укусил Азизу, вцепился в нее хваткими годовалыми челюстями. При этом он с любопытством засматривал ей в самые зрачки своими черными глазенками.

— Ты что делаешь?

— У него зубы чешутся, — объяснила Зейнаб. — Все кусает.

Зейнаб поставила на стол дымящийся плов. Все уселись за стол. Маленькие тут же стали вытаскивать у Шухрата из тарелки лучшие куски. Шухрат только погрустнел, но смирился.

— Шухрат, ты почему себя не защищаешь? — спросила Азиза.

— Мне нельзя. Они младшие, — объяснил Шухрат.

— Придется мне его забрать, — сказала Азиза. — Это какая-то дискриминация.

— Научится уступать, хорошим человеком станет, — сказала Зейнаб. — А тебе еще не поздно. Можешь себе родить. Сделай счастливым своего мужа. Он на тебя всю жизнь работает.

— Интересно… Кто на кого работает?

Во дворе залаяла собака.

— Фарид пришел, — увидела в окно Зейнаб.

Вошел тридцатилетний брат Азизы. Он был в костюме и меховой шапке. Брюки заправлены в сапоги.

— Сестренка! — обрадовался Фарид.

Они обнялись. Азиза припала к брату. Он обхватил ее своими могучими руками.

— Какой ты сильный…

— А ему и надо быть сильным, — заметила Зейнаб. — Все на нем. Нагрузили, как ишака, он и везет.

— Мама…

— Что «мама», — не унималась Зейнаб. — Ну ладно, парники, от них доход колхозу. Но клубом мог бы и не заниматься.

— А кто будет заниматься?

— Вот я об этом и говорю. А ты думал, я о чем?

Фарид сел к столу. Ест. Дети облепили отца.

— Так же не бывает, что палец болит, а голове нет дела, — сказал Фарид.

Младшие пытались влезть отцу на шею. Шухрат стоял в некотором отдалении.

— Дайте отцу поесть. — Азиза оттащила маленьких. Они взвыли.

вай нот?

— Лучше бы семье побольше времени уделял, — ворчала Зейнаб. — С женой совсем не видишься. Дети — как беспризорные. А заболеешь, никто спасибо не скажет.

— Скажут, — вмешалась Азиза. — Скажут: «Спасибо, Фарид». А он ответит: «Пожалуйста».

Фарид поднялся из-за стола.

— У меня к тебе просьба, — обратился он к сестре. — У нас будет вечер встречи с выпускниками нашей школы. Среди выпускников есть знаменитый спортсмен и артист. А вот ученый — только ты.

— А что я им скажу? — спросила Азиза.

— Скажешь, как ты дошла до жизни такой. Дашь пример подрастающему поколению.

— Ерунда все это. Если бы дети стали такими, какими их хотят видеть родители, мир стал бы совершенен. А он как стоял несовершенным, так и стоит. У каждого должны быть свои ошибки.

— У каждого должны быть свои идеалы, — с убеждением сказал Фарид.

— Я на роль идеала не подхожу.

— А ты этого не знаешь. Может быть, ты и есть идеал: умная, красивая, трудолюбивая пчелка…

— Спасибо, Фарид.

Азиза припала к брату, как бы загораживаясь им от жизненных сквозняков.

— Какой ты сильный…

Дети спали во дворе, разметавшись во сне. И даже во сне средний положил свою руку на лицо Шухрата.

Над детьми раскинулось небо со звездами.

Азиза и Зейнаб сидели под небом. Молчали. Слушали тишину.

Послышалась песня.

— Это Абдухамид, сын Шарафа. Идет от невесты, — сообщила Зейнаб. — Все слышат, что ему хорошо.

— А вы с отцом были счастливы? — спросила Азиза.

— Я работала по дому и рожала детей. А какое еще счастье…

Снова помолчали.

Маленький заплакал во сне. Азиза подошла, успокоила.

— Я лягу на крыше, — сказала Азиза и стала собирать постель.

— Ты надолго приехала? — спросила Зейнаб.

— У меня ремонт. Вредные испарения, — сказала Азиза, не глядя на мать.

— Но ты должна быть дома… Вдруг Тимур вернется из командировки раньше? Что он подумает?

— Он не вернется. Он ушел к другой.

Долгое молчание. Вдалеке простучал поезд. Светящиеся окна поезда были похожи на перфорацию пленки.

вай нот?

— А вдруг он захочет вернуться? — спросила Зейнаб.

— Что вы говорите, мама? У него другая женщина. Он от меня ушел. Понимаете? Вы что, не слышите?

— Я слышу и понимаю. Но между душами людей — мост. И когда кто-то уходит, не надо жечь за собой мосты, потому что по ним же можно вернуться обратно. Ты должна его ждать. И тогда он вернется.

— Обратно... — с обидой повторила Азиза. — А зачем он мне такой... Он мне не нужен такой.

— Это зависит от того, кого ты больше любишь. Его или себя. Если любишь его, то простишь. А если себя — значит, у тебя маленькая душа.

— Но разве вы бы отцу простили?

— Я бы простила.

— Вы так говорите, потому что не знаете, что это такое, когда предают. Как будто землю из-под ног выбивают. Отец любил вас, вы всю жизнь прожили, как один радостный день.

— А ты думаешь, Фарид — это мой сын? Это его сын.

Азиза долго молчала.

— Как?.. — наконец выговорила она.

— Твой отец после войны ушел от меня, — просто сказала Зейнаб. — Война многих мужчин разбаловала. А я все равно ждала.

Я не могла по-другому. И он вернулся. И сына своего с собой забрал. Не захотел той оставить. Мне принес, в одеяльце завернутого… — Зейнаб замолчала, унеслась в воспоминаниях. Потом добавила: — Видишь, какой хороший мальчик вырос…

Азиза сидела под звездами на крыше. У нее было такое лицо, как будто ее мозги взболтали большой ложкой.

Вдалеке стучал поезд.

Маляр и Гульнара клеили обои. Маляр возвышался на стремянке, а Гульнара подавала ему снизу полотна обоев.

Азиза вошла в дом.

— Здравствуйте, — поздоровался маляр. — Я сдал свою кровь, теперь имею право на два дня отгула. Я эти два дня могу работать у вас с утра до вечера.

— Мама! Как интересно! — с восхищением заявила Гульнара. — Я теперь тоже пойду в ПТУ и всему научусь. Надо работать не головой, а руками.

— Мне никто не звонил? — спросила Азиза.

— По-моему, никто.

— А если точно?

— Никто.

Раздался звонок в дверь.

Азиза открыла. В дверях стояла Нодира.

— Ну как ты? — спросила она.

вай нот?

— Что ты имеешь в виду?
— Ну, вообще...
— В Бельгии безработица. А час назад произошла стыковка грузового корабля.
— Где?
— В космосе.
— А ты откуда знаешь?
— В газете прочитала. Ты газеты получаешь?
— При чем тут космос? Ты-то как?
— А что тебя интересует? — делает наивные глаза Азиза.
— Ну так... в принципе. Хотя что я расспрашиваю! Я и так все про тебя знаю.

Нодира поворачивается и уходит. Азиза смотрит ей в спину.

— Подожди.

Нодира остановилась, смотрит с непонимающим видом. Власть переменилась. Теперь Нодира заняла более сильную позицию.

— Что ты знаешь? — не выдержала Азиза.
— Ты скоро замуж выйдешь.
— За кого?
— За короля.
— Из Африки?
— Почему из Африки?
— Короли же в основном там.
— Ничего подобного. И в Англии тоже король.
— Там королева.

— За крестового! — сообщила Нодира. — Я на тебя гадала. С дальней дороги крестовый интерес. Пойдем, сама посмотришь.

Нодира решительно идет в квартиру Азизы. Азиза растерянно следует за ней. Нодира шагает прямо по обоям, разложенным на полу.

— Э! Осторожно! — крикнул со стремянки маляр.

— Ладно тебе, осторожно... Тут судьба решается.

Нодира присаживается к столу. Раскидывает карты.

— Вот ты. Червовая... — показывает Нодира.

— Я же не блондинка, — робко возражает Азиза.

— Червовая — это замужняя.

— Я же не замужняя.

— Но ты не молодая...

— Ну да, — соглашается Азиза. — Не очень.

— Значит, смотри: вот ты. Вот дальняя дорога. Вот король.

— А Тимур где?

— При чем тут Тимур? Я же на тебя гадаю.

— Погадай на него.

Нодира собирает и снова раскидывает карты. Смотрит.

— А ты не выпала. Он о тебе и не думает вовсе. Какие-то хлопоты. Посмотри. Твоей карты нигде нет.

вай нот?

— Не может быть, — потерянно проговорила Азиза. — Неужели ушел и не стыдно?
— Ты мужчин не знаешь.

Азиза решительно выбегает из дома. Бежит по улице к дому секретарши. Позвонила у ворот. Залаяла уже знакомая собака. Послышались шаги.

Муж открыл ворота.

— Я пришла посмотреть в твои глаза, — сказала Азиза.

— Пожалуйста… — Муж вытаращил глаза, раскрыл пошире, чтобы в них удобнее было смотреть.

Прошла минута.

— Посмотрела? — спросил муж.

— Посмотрела, — ответила Азиза.

— Ну, до свидания, — попрощался муж. — Заходи в гости. Все же не чужие…

Ворота закрылись. Азиза осталась за воротами…

В квартире затренькал звонок междугородней. Азиза сняла трубку.
— Лиля? Это я, Азиза! Я завтра вылетаю на симпозиум. На два дня. Гостиница «Узбекистан». Надо увидеться. Да ничего особенного не случилось. Просто… Просто… Увидимся — поговорим.

Азиза положила трубку.

— Вот тебе и дальняя дорога, — обрадовалась Нодира. — Казенный дом.

— А казенный дом это что? — спросила Азиза.

— Тюрьма, больница, гостиница, любое государственное учреждение.

Самолет оторвался от земли.

Шведские феминистки и переводчица сидели в креслах и читали зарубежные детективы.

Вдруг госпожа Хансен увидела сидящую впереди Азизу.

— О! Какая удача! — обрадовалась Хансен и пересела к Азизе.

Самолет был наполовину пуст, места возле Азизы оказались свободными.

— Мы продолжаем наше путешествие, — сказала Хансен. — Я считаю, пока человек ходит, надо ездить.

Переводчица перевела.

— Я лечу на симпозиум, — пояснила Азиза. — Читаю доклад.

— Марк Аврелий сказал: «Каждый человек стоит столько, сколько стоит дело, о котором он хлопочет».

— Простите, а почему вы феминистка? — поинтересовалась Азиза.

— Я разочаровалась в мужчинах... Мой муж пять лет назад ушел к ней.

вай нот?

Госпожа Хансен показала на Хеллу. Хелла кивнула в знак согласия.

— Мужчинам после пятидесяти вредно менять свой образ жизни. Они от этого умирают... Мой... вернее, наш муж тоже умер. После этого мы подружились.

Хелла кивнула.

Мимо них прошла стюардесса, предлагая газеты.

Азиза купила газету. Развернула.

На газетной странице в верхнем углу был портрет Тимура в черной траурной рамке и с некрологом под ним.

Азиза подбежала к дому секретарши, стала звонить в дверь непрерывно, как на пожаре.

Дверь открыл Тимур, он был одет в черный костюм, и вид у него был чрезвычайно печальный и одинокий.

— Ты переживаешь, что ты умер? — взволнованно спросила Азиза.

— С одной стороны, я доволен, потому что я устал переживать свое предательство. А с другой стороны, я очень хочу жить.

Азиза упала головой на его грудь. Плачет. Тимур гладит ее по голове.

Вышла секретарша в черных одежках.

— Ты не развелся и не женился на мне, — с упреком сказала секретарша. — Просто пришел и умер. Мог бы и дома умереть.

— Но он бросил меня и ушел к вам. Это все знают, — возразила Азиза. — Я тоже имею к нему счеты.

— Девочки, не ссорьтесь, — попросил Тимур. — Вы единственные в моей жизни, кого я любил. У меня никого не было, кроме вас. Неужели я не имею права на вашу память?

— Может быть, нам стать феминистками? — предложила Азиза секретарше. — А то у нас нет своих феминисток. Почему это у них есть, а у нас нет?

— Им там больше делать нечего. Главное дело женщины — любовь. И другого дела у нее нет.

— Теперь ты видишь, почему я ушел, — как бы оправдываясь, сказал Тимур.

Над зданием аэропорта разносился медный голос диктора: «Произвел посадку самолет рейсом Самарканд — Ташкент».

Лиля остановилась среди ожидающих. Напряженно смотрела на дверь, в которую входили с поля пассажиры.

Появилась Азиза.

Лиля спряталась за спины и какое-то время наблюдала, как Азиза идет, как остановилась, растерянно оглядываясь.

— Азиза… — тихо окликнула Лиля.

Азиза вздрогнула. Обернулась. Подруги бросились друг другу навстречу — одна высокая, другая маленькая. Обнялись.

вай нот?

Лиля и Азиза ехали на машине. Лиля сидела за рулем.

— Никаких гостиниц! — категорически объявила Лиля. — Ты будешь жить у меня. Внучку я отвела к другой бабке. Освободила территорию.

— Зачем? — огорчилась Азиза. — Я ее целый год не видела. Интересно было бы пообщаться.

— Интересно первые пять минут. А потом хочется выброситься в окно. Приходится жить с ней одной жизнью. Ее жизнью. Я просто с ног валюсь.

— А дочка с зятем что делают?

— Студенты.

— Пусть сами воспитывают. Родители должны воспитывать своих детей.

— Мой Борисов так обожает внучку, что ему все время хочется домой. Он говорит, когда в доме нет детей, в нем заводятся привидения…

Машина останавливается, Лиля закладывает кассету, включает магнитофон.

— Подожди одну минуточку… Я сейчас.

Лиля выходит из машины и скрывается в комиссионном магазине.

Течет теплая мелодия. Азиза смотрит перед собой.

Появляется Лиля с коробкой.

— Туфли для Борисова, — поясняет она. — Я договорилась, мне оставили. На натуральном меху. У него от искусственного меха ноги горят.

— А в театре как?

— Обещали Соню, дали старую няню. Очень хорошо. Могли и вовсе ничего не дать. Актрис больше, чем ролей.

— Ты оптимистка, — отметила Азиза.

— Это моя позиция. Любой жизнью можно быть довольным и недовольным. Но пока ты ею недоволен, она и проходит... Подожди одну минуточку.

Машина останавливается напротив овощного магазина. Лиля снова включает музыку и снова исчезает. И снова появляется с полной авоськой.

— Морковку купила. И сметану. Я каждый день Борисову морковку со сметаной тру. Каротин без жиров не усваивается.

— Как ты о нем заботишься! — подивилась Азиза.

— А иначе нельзя. Уведут.

— Что значит — уведут? А любовь?

— А что, по-твоему, любовь? — спросила Лиля. — Это работа. Это огород, который надо постоянно окучивать. Вырывать сорняки. Иначе ничего не взрастет. Все заглохнет.

Раздался хлопок. Машина завиляла.

вай нот?

— Боже мой! Колесо! А у меня нет запаски.

Лиля и Азиза вышли из машины. Присели у колеса.

— Битая бутылка! И шина, и камера!

— А что делать? — теряется Азиза.

— Сейчас что-нибудь придумаем. Ты о чем хотела со мной поговорить?

— Да так… пустяки.

— Что-нибудь случилось?

— Ничего не случилось.

Азиза выходит на середину дороги, поднимает руку.

Машины идут мимо.

Наконец одна машина останавливается. Водитель опускает ветровое стекло.

— Простите, вы не могли бы одолжить запасное колесо? — попросила Азиза, молитвенно сложив руки.

— Вы что, с ума сошли? — поинтересовался шофер.

— Почему? — не поняла Азиза.

— Потому что просить запасное колесо — это все равно, что просить сто рублей.

— Я могу дать вам сто рублей.

— Но ведь на рублях не уедешь. Уехать можно на колесе. А колесо достать очень трудно.

Шофер поднимает стекло, считая, что разговор закончен.

Машина отошла.

— Жлоб! — вслед ему сказала Азиза. — Циник! Хоть бы скрывал.

— А он ни при чем, — сказала Лиля. — Это ты виновата.

— Я? — поразилась Азиза.

— Конечно. У тебя какая-то неприятность. От тебя идут отрицательно заряженные флюиды. Вот дай я…

Лиля выходит на дорогу. Голосует.

Остановились «жигули». Оттуда высунулся спортивный парень.

— Здравствуйте, — поздоровалась Лиля. — Одолжите мне, пожалуйста, запасное колесо.

Спортивный вышел из машины, открыл багажник, вытащил оттуда запасное колесо и молча протянул Лиле.

Лиля оторопела.

— А как я вам его верну? — спросила она.

Спортивный достал записную книжку, вырвал оттуда листок, что-то написал. Протянул.

— Вот тут мой адрес и телефон. Меня зовут Андрей.

— Я доеду до дома и верну вам колесо через час.

— Хорошо.

Спортивный уезжает.

— Какой замечательный человек, — восхитилась Азиза, глядя вслед уходящей машине.

вай нот?

— Нормальный, — сказала Лиля. — Просто мы отвыкли от нормы.

Лиля достает из багажника домкрат и ключ. Они с Азизой, как заправские механики, меняют колесо.

Телефонная трель звучит долго и настойчиво. Лиля торопливо отпирает дверь и вбегает в квартиру, чтобы успеть на звонок. Не успела. Взяла трубку, послушала. Положила ее на место.

— Это Борисов, — огорчилась она.

— А зачем он звонит? — спросила Азиза.

— Как зачем? Чтобы услышать мой голос. А я бы услышала его голос.

— И все?

— И все. Но я с этими колесами не успеваю сготовить ему обед. А он вчерашнее не ест.

— Давай я сделаю плов, — предложила Азиза.

Прошли на кухню.

— Вот рис, вот мясо, вот морковь, вот лук. — Лиля выкладывает продукты. — Я сейчас бегу в театр.

— А как же колесо?

— Позвони и попроси, чтобы он сам приехал за своим колесом. Я не успеваю. Вот телефон.

— Ну это уже свинство с нашей стороны. Он может не согласиться.

— О! Как это ужасно, что я некрасива. Как ужасно.

— Ты очень обаятельна, — возразила Азиза. — А обаяние — это главное, потому что обаяние — свойство личности.

— Да не я... Соня из «Дяди Вани». Я так скучаю по ней. Я сама себе ее играю. Но актер не может играть себе. Ему нужен зритель.

— А хочешь, сыграй мне. Я буду зритель.

— Один зритель — это мало. Но все же лучше, чем никого. Скажи: «Дитя мое, как мне тяжело»...

— Дитя мое, как мне тяжело, — повторила Азиза.

— Не так. Ты говоришь формально. Еще раз.

— Дитя мое, как мне тяжело! — серьезно, прочувствованно сказала Азиза так, будто это были ее слова и ее состояние. — О! Если б ты знала, как мне тяжело!..

— Что же делать, надо жить! — страстно проговорила Соня-Лиля. — Мы, дядя Ваня, будем жить. Проживем длинный, длинный ряд дней, долгих вечеров. Будем терпеливо сносить испытания, какие пошлет нам судьба. Будем трудиться для других и теперь, и в старости, не зная покоя, а когда наступит наш час, мы покорно умрем, и там, за гробом, мы скажем, что мы страдали, что мы плакали, что нам было горько,

вай нот?

и бог сжалится над нами, и мы с тобою, дядя, милый дядя, увидим жизнь светлую, прекрасную и на теперешние наши несчастья оглянемся с умилением, с улыбкой — и отдохнем! Мы отдохнем! Я верую, я верую...

Азиза плачет.

— Бедный, бедный дядя Ваня! Ты плачешь...

Лиля и Азиза обнимаются. Плачут обе.

— Я верую, — повторяет Лиля, как клятву. — Я побегу!

Азиза одна в квартире нарезает морковь соломкой.

Звонит телефон. Азиза снимает трубку.

— Да, да... Я вас узнала. Простите, вы не могли бы приехать за своим колесом? У нас не получается.

Голос Андрея:

— Говорите адрес.

— Вам не сложно?

— Мне все равно...

Плов почти готов. Азиза накрывает казан крышкой, обкладывает полотенцем.

Звонок в дверь.

Азиза открывает.

Андрей входит, снимает обувь. Проходит в комнату.

— Вы извините нас...

Андрей молчит.

— Вы сердитесь? — проверяет Азиза.

— Да мне все равно.

— Как это?

Андрей не отвечает.

— Хотите есть?

— Не знаю. Нет, наверное.

— Как это не знаете?

— Мне все равно.

— Странно. Чувство голода — объективная реальность. Мозг посылает сигналы в желудок.

— Мне есть не хочется и жить не хочется. Я ничего не хочу.

— Это называется депрессия, — говорит Азиза. — Чтобы с ней справиться, надо определить причину.

Азиза кладет на тарелку плов. Андрей безучастно ест.

— Может, что-то случилось?

— У меня невеста вышла замуж за моего друга. Двойное предательство.

— Неприятно, — согласилась Азиза.

— Я хотел уйти в монастырь, но передумал.

— Вы ведь не узбек?

— Я русский. Моя семья во время войны была эвакуирована в Узбекистан. Они здесь прижились и остались. Потом я родился.

— А невеста русская?

— Узбечка. Но сейчас узбечки не те, что были. Эмансипировались. Я ее берег, пальцем боялся тронуть. Получается, берег для друга.

— Не надо идти в монастырь, — сказала Азиза.

— А что делать?

— Ничего. Живите дальше. Это будет другая жизнь, но вы найдете в ней свою нишу.

Андрей думает. Вдруг бросает вилку на стол.

— У меня к вам просьба. Обещайте, что скажете «да».

— Какая просьба? — растерялась Азиза.

— Нет, сначала пообещайте.

— Я постараюсь.

— Да?

— Да.

— Они пригласили меня на свадьбу. Представляете? Делают вид, что ничего не произошло. Значит, я тоже должен сделать вид, что ничего не произошло. Если я не пойду, значит, я обиделся. Переживаю. А если приду и сяду, значит, плевать я хотел. Пусть затрахаются в блин.

— А в чем просьба? — не поняла Азиза.

— Пойдемте со мной. Мы сядем рядом, и я буду за вами ухаживать. Вы красивая. Она подавится от злости.

— Я старше вас, это заметно. Я могу быть только в роли вашей тетушки.

— Подруга может быть старше. Даже лучше. Значит, не телка-дурочка, а зрелая умная женщина. Я вас очень прошу... Вы же обещали.

Азиза молчит.

— Это ненадолго, — умоляет Андрей. — Мне главное — появиться. Мы посидим сорок минут и уйдем. Подарите мне сорок минут. Подарите мне мою гордость.

— А что подумают обо мне гости?

— В каком смысле? — не понял Андрей.

— У вас грязная голова. Пуговица болтается. Что это за подруга, у которой парень, как детдомовец?

Андрей в ванной. Азиза моет ему голову, поливая из душа. Заворачивает в полотенце.

Они вдвоем в комнате.

Азиза закрепляет пуговицу на его рубашке.

Андрей стоит без рубашки. У него прекрасное, тренированное, молодое тело.

Азиза берет фен, начинает сушить его волосы. Потом расчесывает на свой манер.

Андрей стоит как молодой бог. Азиза невольно им любуется.

Свадьба в «стекляшке». Это дешевое городское кафе. Столы составлены буквой «п», ломятся от национальной еды. Разнообразие красок: зеленое, оранжевое, фиолетовое.

вай нот?

Гости — смешанные: русские, узбеки — интернационал.

Невеста — восточная красавица, рядом с женихом — толстым коротышкой.

Азиза и Андрей входят и садятся на свободные стулья. На них все смотрят с любопытством. У невесты глаза выкатываются на лоб.

Маленький оркестр наяривает свою музыку. Разбитной ведущий выкрикивает пожелания и поздравления. Азиза наклоняется к Андрею, тихо говорит:

— Жених никуда не годится. Вы лучше.

— У него калым больше.

— Подумаешь, калым. Деньги всегда можно заработать.

Подошел отец невесты, проговорил нагнувшись:

— Кушайте, дорогие гости…

Потом он сделал несколько шагов вдоль стола и повторил, нагнувшись:

— Кушайте, дорогие гости…

— Это что, обычай? — удивилась Азиза.

— Это осталось с голодных времен, — объяснил Андрей. — Люди сидели за бедным столом и боялись взять кусок. Сейчас эти времена ушли, а обычай остался.

К Азизе подскочил ведущий и пригласил ее на танец. Получилась показательная пара.

Большинство гостей побросали еду и присоединились к танцующим.

Невеста старалась не смотреть на Андрея, но то и дело бросала в его сторону пронзительные взгляды.

Андрей прошел к музыкантам, взял гитару у гитариста и запел. Голос — серебро.

Публика захлопала.

Быстрый танец сменился на медленный. Азиза хотела сесть на свое место, но ее перехватил папаша невесты. Пришлось танцевать с ним национальный танец. Азиза легко справилась с задачей. Это было несложно. Танцевали только руки.

Далее к Азизе подскочил какой-то жизнерадостный русский, обхватил за талию, повел в танце, делая заковыристые па.

Андрей передал гитару гитаристу, подошел к Азизе и вырвал ее из рук партнера. Обнял. Они пошли в медленном чувственном танце.

— Вы со мной пришли и со мной уйдете, — строго сказал Андрей.

— У вас потрясающий голос. Вам надо учиться, — сказала Азиза.

— Зачем учиться, если я уже пою... Чего мне не хватает? Сольфеджио?

Они танцевали лицо в лицо.

Невеста смотрела и наливалась злобой.

Ей приходилось вставать под крики «Горько!» и целовать круглый рот жениха.

вай нот?

В конце концов она не выдержала, выскочила из-за стола, подлетела к танцующей паре и изо всех сил ударила Азизу кулаком в нос, как в бубен.

Хлынула кровь.

Андрей стал оттаскивать разъяренную невесту. Азиза кинулась к выходу.

Гости замерли в немой сцене.

Азиза выбежала на улицу. Андрей — за ней. Он снял галстук и стал вытирать галстуком ее лицо.

Кто-то вынес им бутылку минеральной воды.

Азиза стала умываться.

— Мы победили! — произнесла она.

— Да! — подтвердил Андрей. — Свадьба испорчена. Теперь они ее никогда не забудут.

Комната Лили.

Азиза смотрит на себя в зеркало. Вокруг глаза расплылся синяк.

— Я как алкашка, — сказала Азиза. — Как я буду лекцию читать? Скажут: «Ее избил мужик».

— Ну и что? — спросил Андрей. — А ученые что, не люди? Их что, и бить нельзя?

— Что же теперь делать?

— Надо приложить медяк, — сказал Андрей.

— Лучше спиртовой компресс.

Андрей достает из кармана медную монету. Держит на скуле. Потом проверяет. Синяк наливается синим цветом. Андрей долго смотрит ей в лицо. Не выдерживает, целует. Азиза закидывает руки ему на шею.

Лиля и ее муж Борисов подошли к своей двери.

Лиля вставила ключ. Ключ не проворачивался.

— Ничего не понимаю, — сказала Лиля.

Борисов попробовал сам.

— Дверь не заперта, — сказал он.

Потянул за ручку. Дверь отворилась.

Вошли в прихожую.

Из комнаты доносился равномерный стук.

— Что это? — испугалась Лиля.

— Мелодия любви, — предположил Борисов.

Они вошли в комнату и оторопели.

Азиза и Андрей пребывали на их супружеской кровати, а спинка кровати равномерно билась о стену. Это действительно была музыка любви.

Лиля смотрела раскрыв рот.

Грешная пара не смутилась. Они, конечно же, отвлеклись от любви, но смотрели на Лилю и на Борисова совершенно спокойно и безмятежно.

вай нот?

— Ты что, путана? Интердевочка? — ужаснулась Лиля.
— Вай нот? А почему бы и нет? — спросила Азиза.
— Ну ты же научный работник, ученая...
— А ученые что, не люди? — возразил Андрей.
— Одно другому не мешает, — прокомментировал муж Лили.
— Молчать! — заорала на него Лиля. — Разговорился!

Борисов втянул голову в плечи. Он был коротенький и квадратный и отдаленно напоминал актера Ролана Быкова.

Зал заседаний был полон.

Азиза сидела на сцене в президиуме, на ее скуле невинно красовался пластырь. Выступающий стоял на трибуне, говорил монотонно и наукообразно.

Некоторые слушали со вниманием, некоторые перемогались, зевали ноздрями. Азиза смотрела перед собой, и было неясно, слышит она или нет.

Азиза в фате и белом платье выходит из дверей загса, рядом с ней Андрей, в черно-белом, с гитарой. Вокруг них друзья и сослуживцы, в том числе прошлая невеста с новым мужем. Невеста незаметно плачет.

В стороне в отдалении стоит Тимур, исподлобья смотрит на происходящее. Вид у него подавленный.

Азиза отделяется от свадебной группы, подходит к нему. Смотрят друг на друга: Тимур — с укором, Азиза — с состраданием.

— Хочешь, я буду помогать тебе материально? Я буду платить тебе алименты, — предложила Азиза.

— Обойдусь... — оскорбился Тимур.

Он повернулся и пошел прочь.

— Тимур! — Азиза побежала следом. — Но ты же сам первый начал.

— То, что можно мужчине, женщине не положено. Ты узбечка, а не шведка.

— Ну подожди... Тимур...

Азиза бежит следом. Ее останавливают за плечо.

Азиза очнулась. На ее плече была рука председательствующего.

— Ваше выступление, — сказал он.

Азиза поднялась, пошла к трибуне.

Андрей поднялся по широкой лестнице. Заглянул в зал.

Азиза стояла на трибуне. Читала доклад.

Андрей вошел в зал. Сел в последний ряд. Перед ним сидели две наукообразные женщины, переговаривались между собой.

вай нот?

— А я повесила шубу на балкон проветривать, так у меня ласточки на гнездо всю спину выщипали.

— Вы мешаете, — тихо заметил им Андрей, наклонившись.

Женщины оглянулись, оглядели Андрея. Замолчали.

Андрей откинулся в кресле. Стал слушать Азизу. В нем возникла вчерашняя песня, которую он пел в ресторане.

«Совершил посадку самолет Ташкент — Самарканд. Просьба не вставать со своих мест до полной остановки самолета».

Азиза сидела в кресле самолета с закрытыми глазами. В ней звучала песня Андрея, и эта песня сопровождала ее все время, пока она выходила из самолета. Шла по летному полю. Выходила в город. Садилась в такси.

Институт.

Азиза поднялась по широкой лестнице. В ее руках была дорожная сумка и цветы.

По небу плыли облака. Азиза подняла голову и обратила внимание на небо и на облака. Прикрыв глаза, подставляла лицо солнечному теплу.

Секретарша сидела на своем месте, печатала на машинке и плакала украдкой. Скрывала слезы.

Вошла Азиза. Увидела секретаршу, подумала и, отделив от букета половину, протянула ей.

Секретарша с глубоким недоумением посмотрела на Азизу.

Азиза вышла в коридор. Навстречу шел Шамшаров. Остановился, как споткнулся.

— Ты вернулась? — спросил он.

— Не совсем.

— Как это?

— Половина здесь, половина в Ташкенте.

— Непонятно.

Шамшаров вгляделся в Азизу. Ее лицо было молодым и нежным.

— Шамшаров, почему тебя все зовут по фамилии? — спросила Азиза. — У тебя же такое замечательное имя: Улугбек. И вообще ты такой хороший! У тебя есть талант верности, талант терпения, самые редкие таланты.

— У тебя хорошее настроение, я вижу… — насторожился Шамшаров.

— Да, извини…

— Не я тому причиной…

— Да, извини.

Повисла пауза.

— И сколько ты его знала? — спросил Шамшаров.

— Несколько часов.

— Ну, это уже срок.

Снова замолчали.

вай нот?

— Можно я задам тебе один-единственный вопрос? — спросил Шамшаров.
— Задавай.
— Почему не я? Кто угодно, только не я.
— Ну почему же кто угодно...
Шамшаров стоял как врос. Не мог двинуться с места. Азиза обошла его. Дошла почти до конца коридора. Потом обернулась. Шамшаров все стоял. Азиза вернулась. Обняла.
— Спасибо тебе, Бек.
— За что?
— Не знаю.

Собака Бой мотала хвостом, как маятником. Азиза, присев на корточки, снимала с нее шлем, освобождала от датчиков. Бой лизал ей руки. Норовил лизнуть в лицо.
Заглянул Мансуров.
— Вы меня звали? — спросил он.
— Саша... У меня к вам большая просьба.
— Я слушаю, — с готовностью отозвался Мансуров.
— Возьмите себе Боя. Это умный и преданный друг. Я бы взяла его себе, но у нас некому с ним гулять.
— Так и у меня некому, — растерялся Мансуров.
— Тогда пристройте к кому-нибудь, только в надежные руки... А если не получится, выпустите на волю. Пусть будет уличным

псом. Подружку встретит. Будет по полдня за костью гоняться, найдет — станет по-настоящему счастлив. Зачем ему наша искусственная радость? Пусть живет себе своей собачьей жизнью.

— А вы? — спросил Мансуров.

— Я тоже буду жить свою жизнь.

Вошел Рустам.

— Там пришли с коврового комбината, просят выступить.

— Пусть Мансуров выступит. На ковровом комбинате в основном женщины. На Мансурова им будет интереснее смотреть.

Азиза поднялась и вышла из кабинета. Бой провыл ей вслед.

Дверь открыл Тимур. Он стоял в домашней одежде, обросший, как каторжник. Смотрел на Азизу. А она, естественно, смотрела на него. Так прошла минута, а может быть, и две.

— Ты где была? — наконец спросил Тимур.

— В командировке, — ответила Азиза. — А ты?

— И я в командировке. Что стоишь? Проходи.

Азиза ступила через порог. Квартира была вымыта до блеска. В вазах стояли цветы.

— Есть хочешь? — спросил Тимур.

— Кофе.

вай нот?

Тимур пошел на кухню, стал варить кофе.

— Ну и как там… в командировке? — спросила Азиза.

— Дома лучше, — ответил Тимур.

Разлил кофе в чашки.

Они сидели друг против друга и молчали. И далеко в ночи был виден светящийся квадрат их окна.

Содержание

Литературно-художественное издание

[illegible]

Технический редактор [illegible]

Корректоры [illegible]

Компьютерная верстка [illegible]

ООО «Издательская Группа «Азбука-Аттикус» —
обладатель товарного знака [illegible]
119334, Москва, 5-й Донской проезд, д. 15, стр. 4

Филиал ООО «Издательская Группа «Азбука-Аттикус» в
г. Санкт-Петербурге
191123, Санкт-Петербург, набережная Робеспьера, д. 12, лит. А

ЧП «Издательство «Махаон-Украина»
04073, Киев, Московский проспект, д. 6, 2-й этаж

ЧП «Издательство «Махаон» [illegible]
61070 Харьков, [illegible]

Знак информационной продукции
(Федеральный закон № 436-ФЗ от 29.12.2010 г.) 12+

Подписано в печать [illegible]
Формат 84×108 [illegible]
Гарнитура [illegible]
Печать офсетная. [illegible]
Тираж 35 000 экз. B-ПКТ-15879-01-R. Заказ № [illegible]

Отпечатано в соответствии с предоставленными материалами
в ООО «ИПК Парето-Принт», 170546, Тверская область,
Промышленная зона Боровлево-1, комплекс № 3А.
www.pareto-print.ru

Литературно-художественное издание

токарева
виктория самойловна
сволочей тоже жалко

Редактор Д.Гурьянов

Технический редактор Л.Синицына

Корректоры Л.Козлова, Т.Филиппова

Компьютерная верстка Т.Коровенковой

ООО «Издательская Группа «Азбука-Аттикус» —
обладатель товарного знака «Азбука»
119334, Москва, 5-й Донской проезд, д. 15, стр. 4

Филиал ООО «Издательская Группа «Азбука-Аттикус» в
г. Санкт-Петербурге
191123, Санкт-Петербург, набережная Робеспьера, д. 12, лит. А

ЧП «Издательство «Махаон-Украина»
04073, Киев, Московский проспект, д. 6, 2-й этаж

ЧП «Издательство «Махаон»
61070, Харьков, ул. Ак. Проскуры, д. 1

Знак информационной продукции
(Федеральный закон № 436-ФЗ от 29.12.2010 г.)

Подписано в печать 02.04.2014.
Формат 84×108 1/32. Бумага офсетная.
Гарнитура «Original Garamond».
Печать офсетная. Усл. печ. л. 25,2.
Тираж 35 000 экз. B-TIG-15879-01-R. Заказ №0041/14.

Отпечатано в соответствии с предоставленными материалами
в ООО «ИПК Парето-Принт». 170546, Тверская область,
Промышленная зона Боровлево-1, комплекс № 3А
www.pareto-print.ru

ПО ВОПРОСАМ РАСПРОСТРАНЕНИЯ ОБРАЩАЙТЕСЬ:

В Москве:
ООО «Издательская Группа «Азбука-Аттикус»
Тел. (495) 933-76-00, факс (495) 933-76-19
E-mail: sales@atticus-group.ru; info@azbooka-m.ru

В Санкт-Петербурге:
Филиал ООО «Издательская Группа «Азбука-Аттикус»
в г. Санкт-Петербурге
Тел. (812) 327-04-55
E-mail: trade@azbooka.spb.ru; atticus@azbooka.spb.ru

В Киеве:
ЧП «Издательство «Махаон-Украина»
Тел./факс (044) 490-99-01
e-mail: sale@machaon.kiev.ua

В Харькове:
ЧП «Издательство «Махаон»
Тел. (057) 315-15-64, 315-25-81
e-mail: machaon@machaon.kharkov.ua

www.azbooka.ru; www.atticus-group.ru